Fertőd

Esterházy Kastély

Bak Jolán szövegével
Filep István képeivel

Text von / Text by Bak Jolán
Mit Bilder von / Photos by Filep István

Módosított kiadás
Veränderte Ausgabe
Modified edition

© Szöveg /Text/ Text Bak Jolán
© Kép /Bild/ Photo Filep István
Tervezte /Gestaltung/ Designed by Ujfalussy Béla

Kiadó és nyomdai előkészítő:
© Di Color Studio – 1996
Verlag: Di Color Studio
Published by the Di Color Studio
Felelős kiadó /Herausgeber/ Publisher Ujfalussy Béla
ISBN 963 04 6951 0

Sarródi Dallos Márton, a 18. század költő-je (akit a továbbiakban versén keresztül idézünk), az 1781-ben kiadott "Eszterházi Várnak és ához tartozandó nevezetessebb helyeinek rövid leírása…" című költemé-nyében ekként határozta meg a kastély helyét.

A napjainkban FERTŐD néven ismert város az, ahol Magyarország legnagyobb szabású, a 18. századi más európai rezi-denciákkal vetekedő barokk építészeti al-kotása található. 1950-ben Eszterházát és Süttört összevonták, a két községből szü-letett Fertőd, mely Győr-Moson-Sopron megyében, Soprontól mintegy 25 km-re fekszik. Eszterháza volt a legkisebb te-lepülés, a második világháború után még alig pár százan lakták. A község nevének keletkezéséről kétféle elgondolás olvas-ható: a Révai Nagy Lexikon 1912-es kia-dása szerint a család vette fel a falu nevét. Dallos Márton véleménye szerint: a falu kapta nevét az Esterházy családtól.

"*Úgy ESZTERHÁZ MIKLÓS*
Sőjtőri Várának,
Nevét változtattván,
már Eszterházának
Nevezi, hogy Nevét Familiájának,
őrökre fönt hagygya
illy Találmányának. "

Süttör a nagyobbik, a régebbi település volt. Már 1313-ban Sehter néven említi a fennmaradt levéltári anyag. Jobbágyköz-ség volt, a Kanizsai, majd a Nádasdy család birtoka. az Esterházy család 1681-ben sze-rezte meg. Esterházy Pál súlyos adósságai miatt Széchenyi György esztergomi érsek-

Heutzutage ist der Name FERTŐD als die Stadt bekannt, wo sich das größte Bau-werk Ungarns, das es mit anderen euro-päischen Residenzen des 18. Jahrhun-derts aufnehmen kann, befindet. 1950 wurden Eszterháza und Süttör zusam-mengelegt, aus diesen beiden Ortschaf-ten entstand Fertőd, das ca. 25 km von Sopron im Komitat Győr-Moson-Sopron liegt. Eszterháza war die kleinere Sied-lung, die Einwohner zählten nach dem zweiten Weltkrieg kaum ein paar Hundert. Über die Entstehung des Namens der Ortschaft sind zwei Auffassungen zu le-sen: Nach der Ausgabe des Großen Révai Lexikons von 1912 übernahm die Familie den Namen des Dorfes. Nach Meinung von Márton Dallos bekam das Dorf den Namen von der Familie Esterházy.

*S*üttör war die größere und ältere Gemeinde. Bereits 1313 wird sie unter dem Namen Schter in den erhalten gebliebenen Ur-kunden erwähnt. Es war eine Fronbauern-Gemeinde im Besitz der Familie Kani-zsai und später der Familie Nádasdy. 1681 erwarb es die Familie Esterházy. Pál Esterházy verpachtete das Dorf we-gen seiner schweren Schuldenlas-ten dem Erzbischof von Eszter-gom, György Széchényi, und spä-ter den Benediktinern in Maria-zell. 1719 wurde es jedoch zurückgekauft.

Mit dem Neubau des Schlosses begann József Ester-házy, der im Juli 1720 den Bau-meister Anton Erhardt Marti-nelli mit der Planung und dem Bau eines zweigeschos-sigen Jagdsitzes mit 20 Zimmern und zwei Festsälen beauftragte. Der Wiener Arc-hitekt hat sich verpflichtet, den Auftrag innerhalb von drei

Today, this town is known under the name FERTŐD, where one can find Hungary's largest baroque style edifice, that could well compete with any other 18th century building of this style in Euro-pe. In 1950, Eszterháza and Süttör were merged and a new village named Fertőd was formed out of the two. It is situated in Győr-Moson-Sopron county at a distance of about 25 kilometres from the town of Sopron. Eszterháza was the smaller settle-ment of the two, after World War II it had just a few hundred inhabitants. There are two conceptions on the origin of the na-me of the village: according to the 1912 edition of the big Révay Encyclopedia, it was the family which took their name of the village. According to Márton Dallos' opinion, the village received its name from the Esterházy family.

Süttör was the larger and more ancient settlement. The archive material that came down to ous, from 1313, mentions it under the name Sehter. It was a village of serfs, first belonging to the estate of the Kanizsai and then to the Nádasdy family. In 1681, the Es-terházy family acquired it. Due to his heavy debts, Pál Esterházy leased it to György Szé-chenyi, the archbishop of Esztergom, and then to the Benedictines of Mariazell. It was repurchased in 1719.

The re-building of the castle was started by József Ester-házy, who – in July 1720 – commissioned building master Anton Erhardt Martinelli with the design and construction of a two-storey hunting lodge of 20 rooms, and two gala halls. The Vienna-based architect agreed to fulfill the contract within 3 months. So the core of today's castle came into existence.

Two buildings, probably a stall and a barn stood perpendicu-larly to the solitary main build-ing. Later on they were trans-formed into entertainment nek, majd a máriacelli bencéseknek adta bérbe és 1719-ben váltották vissza.

A kastély újjáépítését Esterházy József kezdte meg, aki 1720 júliusában megbízást adott Anton Erhardt Martinelli építőmesternek egy kétszintes, húsz szobás, két dísztermes vadászlak tervezésére és építésére. A bécsi építész vállalta, hogy a megbízást három hónap alatt teljesíti. Így jött létre a mai kastély magva.

*A*z önálló főépület mellett, arra merőlegesen két építmény állt, mely valószínűleg istálló és pajta lehetett. Ezeket a szárnyépületeket később mulatóházakká alakították és kőkerítéssel kapcsolták a főépülethez. Ez a kőkerítés a mai patkó alakú földszintes épület falvonalára emlékeztetve körülhatárolta az udvart.

A kastélyon ezután hosszú ideig nem folyt építési munka. Az Esterházy család levéltári okiratai 1754-től tanúskodnak újból a süttöri építkezésekről, amikor is Gottfried Wolf vállalkozott Miklós gróf szobáinak festésére. (A hercegi címet ekkor még bátyja viselte.) Az 1762. év jelentős időszak Süttör építésének történetében. (Az Eszterháza nevet csak 1765-ben kapta meg. Miklós herceg 1766. január 4-én kelt levelében olvasható: "Schloß Eszterháza".)

Dallos Márton leírása szerint az építkezések már 1762-ben folytak:

"Ezer hétt száz hatvan kettődik
Esztendő
Gróf ESZTERHÁZ MIKLÓS.
mire lesz menendő?
Megmutatta; Herczeg lesz
mit mivellendő?
Már-láttni; Mitt mivelt? mi?
miben tetzendő?"

1763. január 11-én Miklós herceg összehívta a különböző birtokrészek tiszttartóit és gondnokait. Ez a "Comissio" meghatá-

Monaten zu erfüllen. So entstand der Kern des heutigen Schlosses.

Im Rechtwinkel auf das selbständige Hauptgebäude standen zwei größere Gebäude, wahrscheinlich Stall und Scheune. Diese beiden Flügelgebäude wurden später zu Lusthäuser umgestaltet und durch eine Einfriedungsmauer mit dem Hauptgebäude verbunden. Diese Mauer, die an den Verlauf der Mauer des heutigen hufeisenförmigen ebenerdigen Gebäudes erinert, umgab den Hof.

Lange Zeit wurde dann am Schloß nicht gebaut. Urkunden aus dem Archiv der Familie Esterházy berichten 1754 erneut von einer Bautätigkeit in Süttör, als Gottfried Wolf die Ausmalung der Zimmer des Grafen Miklós übernahm. (Den Fürstentitel trug damals noch sein Bruder.)

1762 war ein bedeutender Abschnitt in der Baugeschichte von Süttör. (Den Namen Eszterháza bekam der Ort erst 1765. Im Schreiben des Fürsten Miklós vom 4. Januar 1766 ist zu lesen: „Schloß Eszterháza".)

Am 11. Januar 1763 versammelte Fürst Miklós die Beamten und Verwalter seiner verschiedenen Güter. Diese „Comission" bestimmte, wem welche Aufgabe bei dem Bau „des jetzt ganz neu entstehenden Gebäudes in Süttör" zufiel. Damit begannen die gewaltigen Bauarbeiten, in deren Ergebnis eines der schönsten Schlösser Ungarns entstand: das ungarische Versailles."

Die Bauarbeiten begannen damit, daß die beiden Lusthäuser mit dem Jagdschloß zusammengebaut und die beiden ebenerdigen, hufeisenförmigen Flügel errichtet wurden.

Die Meinung der Historiker, die sich mit der Geschichte des Schlossbaus beschäftigen, geht bezüglich des Architekten und des Neubaus auseinander. Das 1784 in Preßburg (heute Bratislava) erschienene, vermutlich vom barmherzigen Bruder Niemetz Primitivus verfaßte Buch „Beschreibung des Hochfürstlichen Schlosses Esterhaz im Königreiche Ungern" enthält acht Stiche. Auf einem Stich mit den Initialen N. I. ist in der rechten

houses and combined with the main building with a stone wall. This stone wall, which reminds us of the main wall-line of today's horseshoe-shaped ground floor building, bordered the coutryard.

No building work was then carried out at the castle for a fairly long time. Archive documents of the Esterházy family, dating from 1754, reveal the resumption of building work, when Gottfried Wolf undertook the painting of Count Miklós's rooms. (At that time, it was the elder brother who wore the title of prince.)

1762 was a significant year in the history of construction work at Süttör. (The name Eszterháza was given to the place only in 1765. In his letter dated on January 4, 1766, Prince Miklós described it as „Schloss Eszterháza", the castle of Eszterháza.) According to Márton Dallos' description, construction work was already in progress in 1762.

On January 11, 1763, Prince Miklós convened the bailiffs and caretakers from various parts of his estates. This meeting, described as „Commision", defined the assignments of everyone with regard to the construction of a „future new building at Süttör". That time marked the start of a large-scale building work, the end result of which was one of Hungary's most beautiful castle-complexes, described as the „Hungarian Versailles".

The work started by linking the two entertainment houses to the hunting lodge and it was then that the two groundfloor horseshoe-shaped wings were erected.

*V*iews of research experts engaged in the history of the castle differ both as to the reconstruction and the very designer of the castle. A book entitled „Beschreibung des Hochfürstlichen Schlosses Esterhaz in Königreiche Ungern" (Description of the princely castle of Esterhaza in Royal

rozta, hogy a "most jövő egészen új süttöri épület" felépítésénél kinek mi a feladata. Ekkor indult az a hatalmas építkezés, melynek eredménye Magyarország egyik legszebb kastélyegyüttese lett: a magyar "Versailles".

Az építkezés azzal kezdődött, hogy a két mulatóházat egybeépítették a vadászkastéllyal, és megépítették a két földszintes, patkó alakú szárnyat.

A kastély építéstörténetével foglalkozó kutatók véleménye eltérő a kastély újjáépítését, tervezőjét illetően. Az 1784-ben Pozsonyban kiadott s feltehetően Niemetz Primitivus irgalmasrendi páter által írt "Beschreibung des Hochfürstlichen Schlosses Esterház im Königreiche Ungern" című könyv nyolc metszetet őrzött meg. Az A. N. I. jelű metszet bal alsó sarkán olvasható: "Jacoby del. et aedif", vagyis rajzolta és építette Jacoby.

A levéltárban számos nyugta-másolaton találjuk Jacoby Miklós építész nevét, aki 1756-tól dolgozott az Esterházy családnál, de nem tudhatjuk, ő tervezte-e a kastélyt. Ünnepségeket szervezett, kivitelező volt. Miklós herceg nagyrabecsülte, Haydn-el azonos volt a fizetése, családjával öt-szobás nemesi kuriában lakott.

Valószínű, hogy Johann Ferdinand Mödlhammer építette az 1763-ra elkészült, a központi magot az oldalépületekkel összekötő – az udvari oldalon íves– épületeket. Melchior Hefele – aki Bécsben a magyar testőrség rajztanára volt – egy 1765-ben kelt nyugta tanúsága szerint a süttöri kastélyhoz készített tervrajzáért és helyszíni szemléért pénzt vett fel. Egyes kutatók szerint a főépület udvari, kétkarú díszlépcsője Hefele tervei alapján készült. Voit Pál véleménye szerint az 1761-62-ben készült vezérterv is Hefele alkotása, őt bízta meg a herceg a kastély teljes átépítésével. Voit véleménye szerint ő készítette a főépület főhomlok

unteren Ecke zu lesen: Jacoby del.et aedif, d.h. „gezeichnet und gebaut von Jacoby".

Im Archiv werden mehrere Abschriften von Empfangsbescheinigungen mit dem Namen des Architekten Miklós Jacoby aufbewahrt, der von 1756 an bei der Familie Esterházy arbeitete, doch kann man nicht feststellen, ob er der Architekt des Schlosses war. Er organisierte Festlichkeiten, war Bauausführer. Er genoß die Hochschätzung des Fürsten Nikolaus, bezog dasselbe Gehalt wie Haydn und wohnte mit seiner Familie in einem adeligen Herrenhaus von fünf Zimmern. Wahrscheinlich war es Johann Ferdinand Mödlhammer, der die 1763 fertiggestellten Gebäude erbaute, welche den zentralen Kern mit den – auf der Hofseite bogenförmigen – Seitengebäuden verbanden. Der Hofarchitekt Melchior Hefele, der in Wien der Zeichenlehrer der ungarischen Leibgarde war, wurde laut einer Quittung aus dem Jahre 1756 für seine Entwürfe der Fassade und die Kontrolle der Arbeiten entlohnt.

Heute gilt es als Tatsache, daß die zweiarmige Prunktreppe im Hof des Hauptgebäudes nach den Plänen Hefeles entstand. Nach Meinung von Pál Voit stammt der 1761-62 entstandene Generalplan ebenfalls von Hefele. Er wurde vom Fürsten auch mit dem völligen Umbau des Schlosses beauftragt. Er entwarf die neuen kulissenartigen Fassadepläne vor der Hauptfassade des Hauptgebäudes. Das einstige Mansardengeschoß gestaltete er als zweite Etage, das über dem Mittelrisalit als dritter Stock errichtete Belvedere und die zum 1. Stock führende Freitreppe betonten die Mittelachse des Schlosses. Nach Pál Voits Meinung ist das ganze Schloß unbestritten das Werk Hefeles, Jacoby und Mödlhammer leiteten nur den Bau.

Es ist bekannt, daß Miklós Esterházy der Prachtliebende sehr energisch bei der Planung mitsprach; den Urkunden zufolge behielt er sich bei allen den Bau betreffenden Fragen das Recht der letzten Entscheidung vor.

Nun wollen wir das Rad der Geschichte

Hungary) issued in Bratislava in 1784, and presumably written by ignorantine Father Nietmetz Primitivus, preserved eight engravings to posterity. In the lower right corner of the engraving marked N. I. one can read: „Jacoby del. et aedif." i.e. designed and built by Jacoby.

In the archive, a large number of receipt-copies bear the signature of architect Miklós Jacoby, who worked with the Esterházy family from 1756, it is not known, however, whether the castle was designed by him. He organized celebrations and carried out the building-work. He was highly appreciated by Prince Miklós, had the same salary as Haydn and lived with his family in a fiveroom nobile mansion. It was probably Johann Ferdinand Mödlhammer, who erected the buildings curved at their side to the courtyard, which combined the central core with the side wings and were completed in 1763. According to a receipt dating from 1765, Melchior Hefele, who was drawing teacher of the Hungarian Guard in Vienna, collected money for making designs and surveys of the Süttör castle.

According to some research workers the twoarmed gala staircase of the courtyard section of the main building was made on the basis of Hefele's designs. In Pál Voit's view, the master design made in 1761-62 was the work of Hefele as well, for he had been commissioned by the prince with the complete rebuilding of the castle. Voit says, Hefele also made the new facade design for the main building. He transformed the former mansard storey into the second floor. With the Belvedere built as third storey above the middle projection, and with the open gala staircase leading up to the first floor, he added emphasis to the middle axis of the castle. In Pál Voit's view, the castle as a whole is undisputably Hefele's work, while Jacoby and Mödlhammer were involved only in directing the building work.

zata előtt kulisszaszerűen kialakított új homlokzati terveket is. Az egykori manzárd emeletet második emeletté alakította, a középrizalit felett harmadik emeletként emelt Belvederével és az első emeletre felvezető szabad díszlépcsővel a kastély köztengelyét tette hangsúlyossá. Voit Pál meglátása szerint a kastély egésze vitathatatlanul Hefele műve, Jacoby és Mödlhammer csak irányították az építkezést.

Ismeretes, hogy Esterházy Fényes Miklós igen határozottan beleszólt a tervezési munkába: az okiratok tanúsága szerint minden, az építkezésre vonatkozó kérdésben magának tartotta fenn a végső döntés jogát.

Most pedig pergessük vissza az idő kerekét 200 esztendővel, sétáljunk körül a hajdani tündérvilágban

A kastély

A főbejárati, hármas tagolódású kovácsoltvas kapu a vasművesség remeke. A kapu választóoszlopait rokokó kővázák díszítik . (A kapu kivitelező mestere Johann Carl Franke volt.) Kétoldalt a kapuhoz ívesen hajló földszintes szárnyak csatlakoznak, majd kétemeletes szakaszokba mennek át és a háromemeletes főépülettel egybeépítve a tojásdad alakú belső udvart zárják körül.

"Az udvar közepén egy mesterséges kút,
Áll: és két szárnyára miként el-tér az út,
Sebes föl-ugrássa a' Víznek úgy fel-jút,
Hogy annak zugássa távul-is fülbengyút."

A földszintes épületek kőpárkányát vázák díszítik, mindkét oldalon egy-egy kiugró résszel, tetején trófeákkal díszített attika. Az emeletes szárnyépület ablakai egészen a padlóig érnek, gyámköveiken kissé kiugró küszöbbel és kovácsoltvas korlátokkal. Az egye-

um 200 Jahre zurückdrehen, und uns in der vergangenen Fennwelt umsehen.

Das Schloß

Das dreigeteilte schmiedeeiserne Tor des Haupteingangs ist ein Meisterwerk der Schmiedekunst. Die Säulen des Tores zieren Rokoko-Steinvasen. (Der Ausführer des Tores war Johann Carl Franke.) Von beiden Seiten schließen sich im Bogen die ebenerdigen Flügel an, die dann in zweigeschossige Abschnitte übergehen und zusammengebaut mit dem dreistöckigen Hauptgebäude den eiförmigen Innenhof umschließen.

In der Mitte des Hofes stand ein künstlicher Brunnen.

Vasen schmücken die Steingesimse der ebenerdigen Gebäude, an beiden Seiten mit vorspringendem Rand, auf dem Dach eine mit Trophäen geschmückte Attika. Die Fenster der Flügelgebäude reichen bis zum Fußboden, auf ihren Tragsteinen ein wenig vorspringende Schwellen und schmiedeeiserne Geländer. Auf beiden Seiten des geraden Gebäudeabschnittes ruhen auf vier Säulen die Balkone. Zwischen diesen Säulen je ein Springbrunnen mit mythologischen Steinfiguren. Das über den drei mittleren Fenstern auf dem Dachrand befindliche Steingeländer schmückt eine Steinvase, Feston und zwei Putten.

It is known that Miklós Esterházy „the Magnificent" had a strong say in the designs. As witnessed by documents of the tune, he had the right of final decisions in all phases related to the building work.

And now, let us turn back the wheels of time by 200 years and take a walk in this fairy world.

The castle

The three-part wrought iron gate of the main entrance is a masterpiece of the ironsmiths craft. The columns separating the parts of the gate are adorned with stone vases of rococo style. (The gate was made by master Johann Carl Franke.) On the two sides, the gate is joined by arch-shaped groundfloor wings, which change over into two-storey parts and – built into one unit with the three-storey main building – surround the egg-shaped inner courtyard.

An artificial well stands in the middle of the courtyard.

The stone ledges of the groundfloor buildings are decorated by vases, with a protruding part on both sides, and with an attic on top decorated with trophies. The windows of the two-storeyed extensions reach right down to the floor (French windows), have slightly protruding thresholds on consoles and wrought-iron balcony-bars. Both sides of the straightlined building are provided with a balcony each, resting on four stone pillars. Under each balcony there is a fountain decorated with mythological figures and carved from stone. The stone bar, on the rim of the roof, above the three windows in the middle is adorned with a stone vase, festoon decorations and two puttos.

The main building in the middle is higher and more richly decorated. Within the ridge, above the projection, a large striking clock is visible, with various fignes épületszakaszon mindkét oldalon középütt négy kőoszlopon nyugvó erkély épült. Az erkélytartó oszlopok között egy-egy szökőkút, kőből faragott mitológiai alakokkal. A középső három ablak felett a tető peremén levő kőkorlátot kőváza, fűzérdíszek és két puttó díszíti.

A középső főépület magasabb és díszesebb. A rizalit feletti oromzat mezejében nagy ütőóra látható, párkányán különféle alakok és fegyverek kőből mintázva. A középrész kő mellvéd posztamensein felváltva kővázák és szobrok állnak. A harmadik emelet lapostetős, kőpárkánnyal díszítve. Az első emeleti, kettős oszlopokon nyugvó erkélyhez íves karú, kétmenetes dísz-lépcső vezet, melyet kovácsoltvas rokokó korlát szegélyez. A korlátot lámpásokat tartó puttók díszítik, az erkélyen két kőváza, középen az aranyozott hercegi címer. A díszlépcsőről a zeneterembe jutunk. Fehér alapon dúsan aranyozott, a falakon hasonló színű falikarokkal, 64 gyertyával. Innen a díszterembe léphetünk, mely fehérre festett, különböző harci jelvényekkel és puttókkal díszített, aranyozott.

Mennyezetén Joseph Ignatz Milldorfer freskója: Apolló a Nap-szekerén. A mennyezetről öt nagy csillár függ alá. A négy sarokban az évszakokat ábrázoló életnagyságú szobrok márványtalapzaton állnak.

"A falakat hat nagy falitükör, két rózaszín márványkandalló díszíti. A kandllókon négy nagy és négy kisebb kalcedónból készült váza, két drágakövekkel kirakott óra, valamint négy, karos gyertyatartó.

Négy nagyméretű festmény függ a falakon, a képek mitológiai jeleneteket ábrázolnak. A székek és pamlagok bevonata arannyal szőtt vörös damaszt."

A zeneterem és a díszterem a háborús pusztítások ellenére jó állapotban megmaradt. Az egykori olajfestmények elpusztultak, helyükön ideig-

Das mittlere Hauptgebäude ist höher und reicher verziert. Im Giebelfeld über dem Risalit befindet sich eine große Schlaguhr, auf dem Gesims verschiedene Figuren und Waffen. Auf den Postamenten der Balustrade des mittleren Teils wechseln Steinvasen und -figuren einander ab. Die dritte Etage hat ein flaches Dach und Steingesims. Zum Balkon des ersten Stockes, der auf doppelten Säulen ruht, führt eine bogenförmige Prunktreppe mit einem schmiedeeisernen Rokoko-Geländer. Geschmückt wird diese Treppe von Lampen haltenden Putten; auf dem Balkon zwei Steinvasen, in der Mitte das vergoldete fürstliche Wappen. Von der Prunktreppe gelangt man in den Musiksaal, der ganz in Weiß gehalten und reich vergoldet ist. Die Wandleuchter mit 64 Kerzen wurden farblich dem Raum angepaßt. Von hier kommt man in den Prunksaal, der ebenfalls weiß und vergoldet und mit verschiedenen Kriegsemblemen und Putten verziert ist.

Die Decke schmückt das Fresko von Joseph Ignatz Milldorfer: Apollo auf dem Sonnenwagen. Fünf große Kronleuchter hängen von der Decke. In den vier Ecken stehen auf Marmorsockeln die vier Jahreszeiten darstellenden lebensgroßen Skulpturen.

An den Wänden sechs große Wandspiegel und zwei rosafarbene Marmorkamine, auf den Kaminen vier große und vier kleinere Vasen aus Chalzedon, zwei mit Edelsteinen besetzte Uhren sowie vier Armleuchter. An den Wänden hängen vier großformatige Gemälde; sie stellen mythologische Szenen dar. Die Stüble und Kanapees sind mit rotem golddurchwirktem Damast bezogen.

Trotz der Zerstörungen während des Krieges blieben der Musik- und Prunksaal in gutem Zustand erhalten. Jedoch wurden die einstigen Ölgemälde vernichtet, an deren Stelle jetzt vorübergehend flämische und französische Gobelins des 17. Jh. die

ures and weapons on its ledge made of stone. Stone vases and sculptures stand on the stone banister postaments of the middle part. The third floor is provided with a flat roof, decorated with stone ledges. A two-staged arched gala staircase leads up to the first storey balcony, which rests on double columns. The staircase is bordered with a wrought-iron banister in rococo style.

he banister is decorated by puttos holding lamps. On the balcony there are two stone vases, with the golden princely coat of arms in the middle. From the main staircase we reach the music hall, which is painted white, richly decorated with gold, with lamp brackets of similar colour on the walls, holding 64 candles. From here, we enter the white painted, richly gilted gala hall, decorated with various battle-insignia and puttos.

The ceiling is decorated with a fresco, „Apollo on the Suncart", by Josef Ignatz Milldorfer. Five large chandeliers hang from the ceiling. In the four corners of the hall, there are life-size sculptures, standing on marble pedestals, depicting the four seasons.

The walls are decorated by six large wall mirrors and two rose-coloured marble fireplaces. On the fireplaces, there are four large and four smaller vases made of chalcedony, two clocks, decorated with precious stones, as well as four cluster-candlesticks. Four large size paintings hang on the walls; they depict mythological scenes. The chairs and couches are covered with gilted red damask.

Despite the devastation of war, the music hall and the gala hall have remained in relatively good state. The one-time oil paintings perished, and their former places were temporarily occupied by 17th century Flemish and French gobelines. The vases, sculptures and fireplaces seen here are original pieces.

The rooms situated to the right of the

lenesen a 17. századból származó flamand és francia gobelin díszlik. Az itt látható vázák, szobrok, kandallók eredeti darabok.

"A díszteremtől jobbra eső szobák festett faburkolattal, vörös damaszttal, zöld toursi selyemmel, lakkozott táblákkal díszítettek. A szobák tele értékes órákkal, porcelán díszedényekkel, indiai asztalokkal, szekrényekkel, tükrökkel. A bal oldali szobák semmiben sem maradnak el a jobb oldaliaktól, az egyik francia gobelinekkel fedett, egy másik indiai módra Gros de Tour festésekkel díszített..."

A háromemeletes kastélyban a termeket és a Belvederé-t nem számítva összesen 126 helyiség van.

A földszinten található a nyári ebédlő, a Sala Terrena, padozata fehér márvány, a falak fehérek, részben zöldre festve, ezüst virágfőzérekkel. A mennyezeten mitológiai jeleneteket ábrázoló freskók, mesterük egyelőre nem ismert.

A két oldalsó fal közepén tükrökkel kirakott bemélyedés, alatta kőlapon márvány medence, benne porcelán békák úsznak.

"Fölötte festett porcelán sárkány, szájában víz csordogál. A fülkék mindkét oldalán nagy falitükrök, alattuk fehérmárvány asztal, tele értékes porcelánokkal. A székek zöld színűek, aranyozottak. A földszinten négy szoba a hercegnő lakosztály, az első festett faburkolattal díszített, a második szobában lakkozott falitáblák, értékes órák és porcelánok találhatók. A harmadik szoba indiai falitáblákkal díszes, hasonló szekrénnyel, órákkal, vázákkal ékesített. A baldachinos ágy a dívány és a székek dúsan aranyozott, zöld kelmével borítottak.

A Sala Terrenától jobbra eső szobákban látható a hercegi lakosztály. Ezek egyike fekete lakkal, aranyozott virágokkal és tájképekkel borított japán falitáblákkal díszített, melyekből tíz darab készült. Értékük egyenként ezer aranyra rúgott.

beiden Säle schmücken. Die Vasen, Skulpturen und Kamine sind echt.

Die rechts vom Prunksaal liegenden Zimmer wurden mit bemalter Holztäfelung, rotem Damast, grüner Seide aus Tours, lackierten Tafeln ausgestattet. Die Zimmer sind voll mit wetvollen Uhren, Porzellangeschirr, indischen Tischen, Schränken und Spiegeln. Die Zimmer auf der linken Seite stehen denen auf der rechten in nichts nach; in einem befinden sich französische Gobelins, ein anderes ist mit der Malerei nach indischer Art mit Gros-de-Tour-Motiven geschmückt...

In dem dreistöckigen Schloß sind – die Säle und das Belvedere ausgenommen – insgesamt 126 Räume.

Im Erdgeschoß befindet sich der Sommer-Speisesaal, die Sala Terrena mit einem Fußboden aus weißem Marmor, weißen Wänden, die teilweise grün bemalt sind, und silbernen Blumengirlanden. Die Deckenfresken, Werke eines bisher unbekannten Künstlers, stellen mythologische Szenen dar.

In der Mitte der zwei Seitenwände eine mit Spiegeln ausgelegte Nische mit dem Marmorbassin, in dem Porzellanfrösche schwimmen.

Aus einem bemalten Porzellandrachen plätschert Wasser. Die Nischen auf beiden Seiten sind mit großen Wandspiegeln ausgestattet, unter denen sich weiße Marmortische mit wertvollem Porzellan befinden. Die vergoldeten Stüble sind grün bezogen. Im Erdgeschoß befinden sich die vier Gemächer der Fürstin, das erste ist holzgetäfelt, das zweite mit lackierten Holztafeln, wertvollen Uhren und Porzellan geschmückt. Das dritte Zimmer zieren indische Wandtäfelung, ähnliche Schränke, Uhren, Vasen. Das Baldachin-Bett, der Divan und die Stüble sind reich vergoldet und mit grünem Stoff bezogen.

gala hall are decorated with painted wood-wall-coverings, red damask, green silk woven in Tours and with lacquered boards. The rooms are richly furnished with precious clocks, ornamental vessels of porcelaine, Indian tables, wardrobes and mirrors. The rooms to the left are not lagging behind in any respect from those on the right; one of them is covered with French gobelines, and the other is decorated in Indian style with Gros de Tour paintings...

In addition to the halls and the Belvedere, there are 126 rooms in the three-storied castle.

On the groundfloor we find the summer dining hall, the Sala Terrena: its floor is covered with white marble, the walls are mainly white, with some parts painted green and with silver flower garlands. On the ceiling there are frescoes depicting mythological scenes, the works of an artist unknown yet.

In the middle of the two side walls there is a niche covered with mirrors, and a marble basin underneath. It rests on stone sheets with porcelaine frogs swimming in it.

There is a painted porcelaine dragon above it, with water trickling from its mouth. On both sides of the niches, there are large wall-mirrors, with white marble tables under them, richly loaded with precious porcelaines. The chairs are green and gilded. On the groundfloor, four rooms served as suites of the princess; the first one was decorated with painted wooden wall-covering, in the second one there were lacquered wallboards, precious clocks and porcelaines. The third room is decorated with Indian wallboards, a wardrobe in similar style, as

11

A második szobában egy karosszék is látható, melybe ha beleülnek fuvolaszerű dallamokat hallat.

A harmadik a hálószoba. Az ágy égszínkék damasztterítővel borított, a baldachin erősen aranyozott, rajta négy fehér kócsagtoll-bokréta.

A további szalonok is mind gazdagon aranyozott faburkolattal, számos vázával, porcelánedényekkel és díszórákkal ékesek. A földszinten helyezkedik el a könyvtár, a könyvek száma meghaladja a 7500-at."

" Van ezen Várnak
    Nagy Bibliotekája,
Abban sok Országok
    hitelyes-Mappája,
A'Porczollányoknak
    kűlőnős szobája,
Illy nagy épülethez mértéklett
    konyhája".
A házi kápolnára így utalt a költő:
"Ennek a' ball-szárnya a' mint
    ki-terjedett,
ott egy jelyes szép
    Kápolna emelkedett,
Mellyben szent Antalnak képe
    behesztetett
És annak Nevére fől-is szenteltetett."

A "Beschreibung" leírja a porcelánszobát, azon szobákat, ahol mindazokat a "drágaságokat, remekműveket, bútorokat" tartják, melyek a többi szobában nem férnek el. Megemlíti az óragyűjteményt, a csodálatos drágaköves órát, melynek mutatói és díszítése "tiszta-brilliántos kő". Felsorolja az étkészletet és azokat a tárgyakat, melyeket Mária Terézia királynő az 1773-ban tett látogatása alkalmával használt.

A felsorolt termek helyreállítása megtörtént. Berendezésének csak kis hányada került elő így azokat más kastélyokból vásárolt, korabeli bútorokkal rendezték be. Napjainkban 21 szalon szépségében gyönyörködhet a látogató.

Die Räume des Fürsten befinden sich rechts von der Sala Terrena. Den einen schmücken zehn schwarze japanische Lacktafeln mit vergoldeten Blumen und Landschaftsmotiven. Ihr Wert betrug damals je 1000 Goldstücke.

Im zweiten Zimmer befindet sich ein Lehnstuhl, aus dem, wenn man sich hineinsetzt, flötenartige Töne erklingen.

Das dritte diente als Schlafzimmer. Das Bett wird von einer himmelblauen Damastdecke bedeckt, der Baldachin ist stark vergoldet und mit vier weißen Reiherfedernsträußen geschmückt.

Die anderen Salons sind ebenfalls mit reich vergoldeter Holztäfelung, zahlreichen Vasen, Porzellangeschirr und Zieruhren geschmückt. Die Bibliothek mit über 7500 Bänden ist im Erdgeschoß untergebracht.

Die „Beschreibung" befaßt sich mit dem Porzellanzimmer und jenen Räumen, in denen all diese „Kleinodien, Kunstschätze und Möbel aufbewahrt werden, die in den anderen Räumen nicht mehr untergebracht werden konnten." Beschrieben wird die Uhrensammlung und die wunderschöne Uhr mit Edelsteinen, deren Uhrzeiger und Verzierung „aus reinen Brillanten" besteht. Aufgezählt werden das Tafelgeschirr und jene Gegenstände, die Königin Maria Theresia anläßlich ihres Besuchs im Jahre 1773 benutzte.

Die beschriebenen Säle wurden renoviert. Von den Einrichtungsgegenständen konnte nur ein Bruchteil geborgen werden. Man kaufte diese aus anderen Schlössern und richtete die Säle mit zeitgenössischen Möbeln ein. Heute können 21 Salons in ihrer Schönheit bewundert werden.

Wintergarten, Orangerie

Dem hufeisenförmigen Schloßgebäude schließen sich außenseitig zwei elfachsige, ebenerdige Flügel an, in dem östli-

well as with clocks and vases. The bed with a baldachine, the couch and the chairs were covered with richly gilded green cloth.

The rooms to the right of the Sala Terrena served as the prince's suite. One of them is decorated with Japanese wallboards covered with black lacquer, gilded flowers and landscapes. Ten pieces were made of these and each had a value of one thousand gold coins.

In the second room, there is an armchair, which, when occupied, plays a flute like tune.

The third one is the bedroom. The bed is covered with a sky-blue damask bedsheet. The baldachine is richly gilded, with four white egret-bouquets.

All the other parlours are provided with richly gilded wainscot, numerous vases, porcelaine vessels and ornamental clocks. The library is situated on the groundfloor, with over 7500 books.

The „Beschreibung" (Description) also tells about the porcelaine room, as well as the ones where all the treasures, masterpieces and pieces of furniture were kept which, due to a lack of space, could not be accommodated in the rest of the rooms. It also describes the clock-collection, the magnificent clock decorated with precious stones, the hands and decoration of which are made of „clear diamond stone".

It also enumerates the tableware and all objects used during the visit of Queen Maria Theresa to Hungary in 1773.

The restoration of the mentioned halls and rooms has been completed. Only a few pieces of their furniture were found and they were thus provided with period furniture bought from other castles. Visitors today can delight in the beauties of 21 reception rooms.

Winter garden, Orangerie

On both sides two groundfloor wings having 11 axles join the horseshoe-shaped castle building: the Eastern one was the winter-

Télikert, orangéria

*"Itt télen a' Szőlő, Szilva,
és Cseresznye
Érik, a' kertésznek annyi veteménye
Vagyon, hogy érette senkinek erszénye
Nem nyílik, de mégis
meg-telik edénye.*

A patkóalakú kastélyépülethez kétoldalt derékszögben csatlakozik egy-egy 11 tengelyes földszintes szárny, a keleti a télikert, a nyugati a képtár volt. (Az orangéria, a bábszínház folytatásaként – magtárnak használva – ma is áll.)

Képtár

*"Mert itt lehett látni
sok bőcsős képeket,
Fől-ékesséttetett szép mesterségeket,
Hól? kik, mint vigadtak edgyütt
kedvesseket,
Mások szomorodott távúl-lételeket."*

A nagyszámú olasz és holland festő művein kívül – melyek szakértő szemnek nagy csodálkozást okoztak (írta a "Beschreibung") – a herceg udvari festőjének, Grundemann úrnak sok értékes műve található itt, akárcsak a kastély különböző szobáinak oldalfalán és mennyezetén.

Az első leltár 1820-ban készült el, bár tudjuk, hogy Eszterházy Fényes Miklós megbízta Grundemannt a képek katalógusba vételével. A herceg nem sok képet vásárolt, azonban valószínű ő szerezte meg Raffaelló Madonnáját, mely már a 18. század második felében a család birtokába jutott. (A művészettörténet Esterházy Madonna néven tartja számon.)

A képtárat Fényes Miklós unokája, II. Miklós gazdagította. A vásárlásra felajánlott képek jegyzékén ő maga jelölte a feltétlenül megszerzendő darabokat. Megjegyzései arról vallanak, hogy általában egy mestertől csak egy képet vásárolt. Segítője egy ügyes bécsi rézmetsző, Jo-

chen Flügel war der Wintergarten, im westlichen die Bildergalerie untergebracht. (Die Orangerie als Anschlußbau zum Marionettentheater – als Getreidespeicher benutzt – steht heute noch.)

Bildergalerie

Außer den Werken zahlreicher italienischer und niederländischer Meister, die auch die Kunstexperten mit Bewunderung erfüllten (heißt es in der "Beschreibung"), sind in der Galerie viele wertvolle Gemälde des Hofmalers des Fürsten, Herr Grundemann, zu finden, so auch an den Wänden und Decken der verschiedenen Räumlichkeiten des Schlosses.

Die erste Inventur fand 1820 statt, obwohl bekannt ist, daß Miklós Esterházy der Prachtliebende, Grundemann mit der Katalogisierung der Bilder beauftragte. Der Fürst kaufte nicht viele Gemälde, jedoch ist wahrscheinlich, daß er die Madonna von Raffael erwarb, die bereits in der zweiten Hälfte des 18. Jahrhunderts in den Besitz der Familie gelangte. (In der Kunstgeschichte wird sie unter dem Namen "Esterházy-Madonna" geführt.)

*B*ereichert wurde die Gemäldegalerie von Miklós II., dem Enkel Miklós des Prachtliebendenn. Er selbst kreuzte auf der Liste der zum Kauf angebotenen Gemälde die unbedingt zu erwerbenden Stücke an. Seine Anmerkungen geben darüber Auskunft, daß im allgemeinen von einem Meister nur ein Bild gekauft wurde. Große Unterstützung erhielt er dabei von dem Wiener Kupferstecher, Joseph Fischer, der der Inspektor der Sammlung und später auch der Verfasser des 1812 erschienenen Katalogs war. Miklós II. Esterházy, bekannter Kunstsammler und -experte seiner Zeit, erwarb mehr als 1000 Gemälde, 3500 Zeichnungen und ungefähr 50 000 Stiche in Wien, Italien, Frankreich und England.

garden, the Western one was the Library. (The Orangerie, in junction to the puppet theatre – used as a granary – still exists today.)

Picture-gallery

In addition to the large number of works of art by Italian and Dutch painters, which caused great delight to the expert eye (as the „Beschreibung" writes), numerous valuable works by Grundemann, the prince's court painter, can be found here as well as on the side walls and ceilings in various rooms of the castle.

The first stocklist was made in 1820, althoug we know that Miklós Esterházy the Magnificent had commissioned Grundemann to catalogue the paintings. The prince did not buy too many pictures, however, he was probably the one to acquire Raffael's Madonna, which was in the family's possession already in the second half of the 18th century. (Art history registers it under the title Madonna of Esterházy.)

The picture-gallery was enriched by Miklós II, Miklós the Magnificent's grandson. He himself studied the list of paintings offered for purchase and marked the items he thought should be acquired by all means. His remarks give evidence that, in general, he bought only one piece from each master. He was assisted by an able engraver from Vienna, Joseph Fischer, who was first the inspector of the collection and later on became author of the catalogue published in 1812. Miklós Esterházy II, as one of the most outstanding art collectors and experts of his age, bought more than one thousand paintings, 3500 drawings and about 50 thousand engravings in Vienna, Italy, France and Britain.

In 1870 the Hungarian state bought the famous collection of his ancestors from Miklós Esterházy. Despite higher price quotations from foreign art dealers, the prince decided to sell the collection to his native land at a very reasonable price.

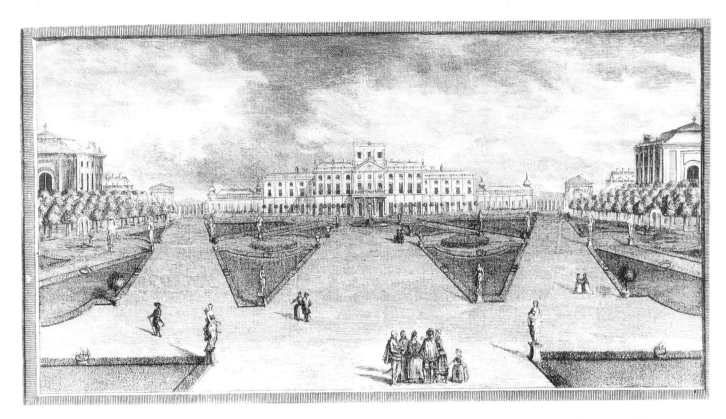

seph Fischer, aki a gyűjtemény inspektora, majd az 1812-ben megjelent katalógus szerzője is volt. Esterházy II. Miklós, mint kora egyik kiváló műgyüjtője és szakértője, ezernél több festményt, 3500 rajzot és kb. 50 ezer metszetet vásárolt Bécsben, Itáliában, Franciaországban, Angliában.

A magyar állam 1870-ben megvásárolta Esterházy Miklóstól ősei híres gyűjteményét. Külföldi műkereskedők magasabb árajánlataival szemben az akkori herceg úgy döntött, hogy igen méltányos áron hazájának engedi át a gyűjteményt.

A park

A Sala Terrenából kilépve a csodálatos franciakertbe jutott a vendég. Antik szobrok, kővázák, virágoskosarak, kőkorlátokkal díszített kertek, elöl nagy szökőkúttal és gesztenyefa állékkal, melyet mesterséges vizesés zárt le. Nem ismerjük a park tervezőjét, de tudjuk hogy francia kertészek alkotásai ihlették.

Gottfried von Rotenstein német utazó

1870 kaufte der ungarische Staat von Miklós Esterházy diese berühmte Sammlung. Trotz höherer Angebote ausländischer Kunsthändler entschied der Fürst, daß die Sammlung in Ungarn verbleibt.

Der Park

Von der Sala Terrena gelangte man in den wunderschönen französischen Garten mit antiken Skulpturen, Steinvasen, Blumenkörben, mit Steinmauern umgebenen Gärten, vorne mit einem großen Springbrunnen und Kastanienalleen, die von einem künstlichen Wasserfall abgeschlossen wurden. Der Gartenarchitekt ist nicht bekannt, jedoch muß er von französischen Gärtnern inspiriert worden sein.

Der deutsche Reisende Gottfried von Rotenstein schrieb 1783:

... *Zu beiden Seiten des Schlosses befinden sich kleine Gärten mit Blumenparterren, die von Steingeländern umgeben sind, auf denen je sechs Kindergruppen, dazwischen je 8 Steinvasen ste-*

The park

Stepping out from Sala Terrena, the quest entered the wonderful French garden. There were in it antique sculptures, stone vases, flower baskets, gardens decorated with stone bars, a large fountain well in the front and chestnut alleys that were closed by a waterfall. We do not know the designer of the park, but he must have been inspired by the work of French gardeners.

Gottfried von Rotenstein, the German traveller wrote in 1783.

... Both sides of the castle are surrounded by stone bars, on each of which stands a group of 6 children, with 8 stone vases between each of them. In each of these small parters, there are 48 orange trees in big barrels. The orange groves are protected from the North winds by a winter-garden and a picture-gallery joining the castle as two wings, and closed by a wrought-iron fence on both sides. This part of the garden is divided into four rectangular pas-

1783-ban írta: "...a kastély mindkét oldalán kis kertek vannak virágparterekkel, mindegyiket kőkorlát veszi körül, melyen 6-6 kisgyermek-csoport áll, köztük 8-8 kőváza. Ezekben a kis virágparterekben 48-48 narancsfa, nagy hordókban. A narancsligeteket a kastély két oldalszárnyához csatlakozó télikert, illetve képtár épülete védi az északi széltől, oldalt kovácsoltvas kerítés zárja le. A keresztben, egymásra merőlegesen, tengelyesen formált utak négy részre osztják ezt a kertrészt, ahová az út tengelyébe épített lépcsőkön lehet lejutni.

A narancsfákat télen a fűtött télikertben, illetve az orangériában óvják a hidegtől. További 68 narancsfa zöldell a kastély körül elszórtan. A főépület mögött kezdődik a parterre, 20 homokkő váza, 32 szobor, 5 szökőkút, 4 nagy, zöldrefestett, és 73 kisebb virágkosár díszíti ágyásait.

A parterre-t 34 gömb alakú nyírt hársfa, félkör alakú térség zárja le, rajta két, szikladarabokból épített, nagyméretű szobor." A szobrok helyén 1784-ben, félkör alakban a tengelytől jobbra és balra egy-egy "cascade", vízesés készült.

Tíz, egyenként 50 cm magas lépcsőfokon zúdult le a víz tíz méter szélességben, egy 26 m szélességű kőből formált, barokk medencébe.

Operaház

Az első 1768-ban, a második 1780-ban épült.

(Az alábbi leírás az 1780-ban épült második operaházra vonatkozik.)

A kastélytól nyugatra, a díszkert szélén, a gesztenyefasor mögött emeletes, manzárdtetős épület, az Operaház állt. A homlokzat teljes hosszában oszlopokon nyugvó erkély futott végig. Az erkélyt aranyozott vaskorlát szegélyezte. A főpárkányt lezáró attika homlokzatát trombitáló puttócsoport díszítette.

Az épület szélessége kb. 30 méter, hossza több mint 60 méter volt. Belül négy részre tagozódott: előcsarnokra, nézőtérre, színpadtérre és ruhatárra.

ben. Zwischen den Parterren je 48 Orangenbäume in Kübeln. Vor dem Nordwind wird die Orangerie durch den an beiden Seitenflügeln des Schlosses sich anschließenden Wintergarten bzw. durch das Haus der Bildergalerie geschützt und seitlich von einem schmiedeeisernen Zaun abgeschlossen. Dieser Abschnitt des Gartens, zu dem man durch Treppen, die in der Mittelachse des Weges angeordnet sind, gelangt, wird von den rechtwinkeligen, sich kreuzenden Wegen in vier Teile geteilt.

Im Winter werden die Orangenbäume im geheizten Wintergarten und in der Orangerie vor der Kälte geschützt. Um das Schloß herum blühen weitere 68 Orangenbäume. Hinter dem Hauptgebäude beginnt das Parterre; seine Bette werden von 20 Sandsteinvasen, 32 Statuen, 5 Springbrunnen, 4 großen, grün bemalten und 72 kleineren Blumenkörben geschmückt.

Das Parterre wird von 34 kugelförmig gestutzten Linden, die einen Halbkreis formen, abgeschlossen. Auf diesem Platz befinden sich zwei aus Felsbrocken errichtete große Standbilder. An ihrer Stelle wurde 1784 links und rechts von der Achse je eine Kaskade gebaut.

Das Wasser floß über zehn jeweils 50 cm hohe und 10 m breite Stufen in ein 26 m breites barockes Steinbecken.

Das Opernhaus

(Das erste 1768, das zweite 1780 erbaut)

(Die folgende Beschreibung bezieht sich auf das im Jahre 1780 erbaute zweite Opernhaus.)

Westlich vom Schloß, am Rande des Prunkgartens, an der Kastanienallee stand ein einstöckiger Bau mit Mansardendach, das Opernhaus. Ein auf Säulen ruhender Balkon mit vergoldetem Eisengeländer zierte die Vorderfront des Bauwerkes. Trompetenblasende Putten schmückten die Frontseite der das Hauptgesimse abschließenden Attika.

sages. The passages can be reached on stairs built into the axes of the roads.

In wintertime, the orange trees are kept in the heated winter-garden and the orangerie respectively, thus protecting them from cold. A further 68 orange trees are scattered all over the grounds of the castle. The parterre starts behind the main building; 20 sandstone vases, 32 sculptures, 5 fountains, 4 large and 72 small flower baskets – painted in green – decorate the flowerbeds. The parterre is closed by a space formed by 34 linden trees trimmed into crescent shaped form. On them there are two large-size sculptures, built of rock pieces. In 1784 a „cascade" waterfall was built to the right and left of the axis, in a semicircled shape, in place of the sculptures. The water rushed down over ten stairs, each one 50 cm high and 10 meters wide, into a 26 meter wide stone basin of baroque style.

The Opera-house

(The first built in 1768, the second in 1780)

(The following description refers to the latter Opera-house)

The Opera-house – a storeyed edifice with mansard roof – stood west of the castle, at the edge of the ornamental garden, behind the chestnut tree alley. All along the facade there was a balcony, resting on columns. The balcony was bordered by a gilded iron bar. The facade of the attic, closing the main cornice was decorated with a group of puttos, playing the trumpet.

The building was about 20 meters wide and over 60 meters long. Inside, it was divided into four parts: the entrance hall, auditorium, stage and cloakroom.

"From the entrance hall a double staircase decorated with wrought – iron bars on the two sides led to the boxes and the gallery. There were several rooms near the boxes, richly furnished with couches, mirrors, clocks, porcelaines and various per-

"Az előcsarnokból kétoldalt kovácsolt-vas korláttal díszített kettős lépcső-feljáró vezetett az emeleti páholyokhoz és a karzatra. A páholyok közelében heverőkkel, tükrökkel, órákkal, porcelánokkal, különféle használati és dísztárgyakkal gazdagon berendezett szobák álltak a vendégek rendelkezésére. A hercegi család és az előkelőbb vendégek az emeleti páholyokból és a galériákból nézték az előadásokat."(1.)

Az előcsarnokból három bejárat nyílt az arany, vörös és zöld színekben pompázó

nézőtérhez, a galériákhoz pedig egy-egy szabadlépcsős oldalbejárat vezetett.

"A nézőtéren a díszpáholyokon kívül 400 férőhely volt. A nézőteret négy nagy cserépkályha melegítette, melyet kívülről fűtöttek. Az alagsorban elhelyezett további négy kályha melege a középen elhelyezett négy nyíláson, légfűtés módjára áradt a helyiségbe." (2.)

A színpad nyílása kb. 8x8 méter, mélysége pedig majdnem 18 méter volt. A színváltozások pillanatok alatt mentek végbe, a színpadnak emelő-süllyesztő szerkezete volt. A színpad hátsó részén kétoldalt öltözőhelyiségek, mögötte a ruhatár állt. Az operai jelmezeket tíz nagy szekrényben őrizték. Naponta felváltva komoly - és vígoperákat, olasz, német darabokat adtak

Das Gebäude war ungefähr 20 m breit und über 60 m lang. Das Innere war in Vorhalle, Zuschauerraum, Bühne und Gardrobe geteilt.

„Aus der Vorhalle führte eine zweiarmige Treppe mit beiderseitigem schmiedeeisernem Geländer zu den Logen und zur Galerie im 1. Stock. In der Nähe der Logen standen den Gästen mit Couches, Spiegeln, Uhren, Porzellan und verschiedenen Gebrauchs -sowie Ziergegenständen üppig eingerichtete Zimmer zu Verfügung. Die Fürstenfamilie und die vornehmen Gäste genossen die Darbietungen von den Logen und Galerien aus." (1.)

Drei Eingänge führten von der Vorhalle zu dem Zuschauerraum. Zu den Galerien führten Freitreppen, die man durch je einen Seiteneingang erreichte.

„Außer den Ehrenlogen bot der Zuschauerraum 400 Personen Platz. Vier Kachelöfen, die von außen beheizt wurden, wärmten den Zuschauerraum. Im Sourterrain standen weitere vier Öfen, deren Wärme durch vier Öffnungen in der Decke nach oben strömte." (2.)

Der Bühnenrahmen war 8x8 m groß, die Tiefe der Bühne betrug knapp 18 m. Die Bühne konnte versenkt und gehoben, das Bühnenbild in Sekunden verwandelt werden. Zu beiden Seiten der Hinterbühne befanden sich die Ankleideräume, dahinter die Garderobe.

Die Kostüme wurden in zehn großen Kästen verwahrt. Gespielt wurde täglich, u. zw. abwechselnd ernste und komische Opern italienischer und deutscher Komponisten. Die Vorstellungen begannen um 6.00 Uhr abends.

„Was hier für Auge und Ohr geboten wird, ist nicht zu beschreiben. Der Hofkapellmeister des Fürsten, der weltberühmte große Komponist, Herr Direktor Haiden, dirigierte das Orchester, das mit unerreichter Vollkommenheit musizierte. Die ausgezeichnete Beleuchtung und die Kulissen, die einmal die aus den Wolken herabsteigenden, dann wieder in

sonal articles, as well as ornamental pieces at the disposal of the guests. The prince's family and the more distinguished guests watched the performances from the first tier boxes and the galleries." (1.)

Three entrance doors led from the entrance hall to the auditorium radiating in gold, red and green; while a side entrance with open staircase led to the galleries.

„In addition to the boxes of honour, there were 400 seats in the auditorium. The latter was warmed by four huge tile stoves heated from outside. The warmth of four additional soves, placed in the basement, reached the auditorium through four openings, placed in the middle, operating in the principle of hot-air-heating." (2.)

The opening of the stage was about 8 by 8 meters, while its depth was almost 18 meters. Scene shiftings took place within moments, for the stage had an elevating-sinking construction. The back part of the stage was joined by dressing rooms on both sides, and behind them was the cloakroom.

The opera costumes were kept in ten big wardrobes. There were daily performances, alternating between serious and comic operas, by Italian and German composers. The performances usually began at six in the evening, in the presence of the prince.

„The pleasures for the eyes and ears are indescribable. Mr. Haiden the court-conductor of the prince, the world famous composer, directs the orchestra, which plays with the greatest deal of perfection. The excellent light-effects and the superb decors, which once give the illusion as if the gods descended from heaven then ascended from the ground and afterwards disappear entirely from the human eye just to reappear again in the next second; a little later, you see a lovely garden, an enchanted forest, changing over into a magnificent hall…" (3.)

Apart from the people of distinction, the opera performances were open to all.

South of the Opera-house stood a finely furnished café.

elő, melyek rendszerint este hat órakor kezdődtek a herceg jelenlétében.

"Leírhatatlan, hogy itt a szemek és fülek milyen élvezetben részesülnek. A herceg udvari karmestere, a világhírű nagy zeneköltő Haiden úr igazgatja a zenekart, mely a legnagyobb tökéletességgel játszik. A kitűnő világítás és a megtévesztő díszletek, melyek egyszer a felhőkből aláérszkedő isteneket, azokat alulról felszállni, majd a következő pillanatban eltűnni látják, majd vidám kert, egy elvarázsolt erdő egy pompás teremre változik át." (3.)

Az operaelőadásokat az előkelőségek mellett bárki látogathatta.

"Ebben egy pénz nélkűl meg-lehet jelenni,
A'jó-ész kit hová vezett? helet venni.
Honnéd mikor akar? kedvére ki-menni
A'mint kinek tetszik? lehet aról tenni."

Az Opraház déli irányban – a lés-erdő mellett – egy szépen berendezett kávéház állt:

"Itt a'mint a másik kert el-készéttetett,
A'mellett egy Kaffé-Ház építtettett,
Hol egy Komédia-Ház - is emeltetett,
Melly sok ezer Summa pénzekben telhetett."

Ma már egyik épület sincsen meg, csak leírásokból és falmaradványokból ismerjük szépségüket.

Lovarda

Az Operaháztól nyugatra , a parkban található a "nagy Hertzegi istálló".

"Hatalmas épület, jón félpillérekkel díszítve. A bejárat felett lovat fogó férfit ábrázoló szoborcsoport, a két végén gyermekek lószerszámokkal. Az udvarban a másik átjárás felett egy ütőóra van. Befogadóképessége 110 ló. Egyéb helyiségei-

den Wolken entschwinden Götter vortäuschten, einen Lustgarten, einen verzauberten Wald in einen prunkvollen Saal verwandeln…" (3.)

Die Vorstellungen konnten von jedermann besichtigt werden.

Südlich vom Opernhaus, am Rande des Waldes wurden die Gäste von einem reizenden Café erwartet.

Heute steht keines der Gebäude, deren architektonische Schönheit nur aus Beschreibungen, aus Mauerresten bekannt ist.

Die Reitschule

Westlich des Opernahuses, im Park erhob sich der „große Fürstliche Stall".

„Ein riesiges Bauwerk mit ionischen Halbsäulen geschmückt. Über dem Eingang eine Statuengruppe, einen Mann darstellend, der ein Pferd hält und an den beiden Enden Kinder mit Pferdegeschirr. Im Hof, über dem zweiten Durchgang eine Schlaguhr. Im Stall haben 110 Pferde Platz, in den Nebenräumen stehen prachtvolle Kutschen und Equipagen. Andere Räume dienen als Winterreitschule. Die Sattelkammer ist ebenfalls schön eingerichtet. Auch eine Sommerreitschule und eine Schmiede gibt es." (4.)

Das Musikhaus

Am Rande des Parkes, von der Reitschule aus in westlicher Richtung erhebt sich das sog. Musikhaus, ein einstöckiger rechteckiger Barockbau, dessen Hof Bogengänge umranden. In diesem Haus wohnten die zum fürstlichen Hof gehörenden Sänger, Musiker, Schauspieler. Auch eine Apotheke und die Wohnung des Hofarztes waren in diesem Gebäude untergebracht. Heute steht nur noch die Hälfte des auf ursprünglichen Abbildungen dargestellten Gebäudes.

Im Stockwerk, in einer Zweizimmerwohnung lebte Joseph Haydn. Eine Gedenktafel an der Westseite des Hauses – ein Werk des Bildhauers Jenő Bory – bezeichnet die Stelle.

None of the buildings exist today, and we know of their beauties from descriptions and wall-remains.

Riding-school

„The Grand ducal stable" stood in the park, to the west of the Opera-house.

„A huge building, decorated with Ionic semi-ports. Above the entrance, there was a group of statues with a man in the middle holding a horse, and with children on both ends of the group, holding harnesses. There is a striking-clock above the other entrance of the courtyard. The stable has room for 110 horses. The premises accommodate splendid coaches and landaus, while others serve riding schools for winter. The saddle-chamber is also richly ornamented. The summer riding school and a blacksmith's shop are also to be found here." (4.)

Music-house

The Music-house stands at the edge of the park, to the west of the Riding-schools. It is a two-storey, rectangle-shaped building in baroque style, with its courtyard flanked by an arcaded passage. This is where singers, musicians, actors and actresses of the Esterházy-court lived. But the building also housed a pharmacy and a flat for the local doctor. Compared to depictions, only half of the original building exists nowadays.

Joseph Haydn lived in the two-room-flat on the second-storey. This is marked by a plaque placed on the western facade of the building. It is the work of sculptor Jenő Bory.

The building was rebuilt several times and its arcades were walled up. It was renovated and its arcades opened on the occasion of the 250th anniversary of Haydn's birth. Today it is one of the most beautiful baroque monuments of Fertőd.

It houses a music-school, office rooms for the town government and a library. In summer its courtyard is often the venue of chamber-music concerts.

ben pompás kocsik és hintók vannak elhelyezve, más helyiségei téli lovardának szolgálnak. A nyergeskamra is igen díszesen berendezett. Itt található még a nyári lovarda és egy kovácsműhely is."(4.)

"Tővábbá e' Várnak tőbbi
Épűletit,
El-halgatom tiszta, s'széles
Istáloit,
Rendes, és magános szép strázsa
házoit,
Egyedűl dícsérem sok szép
Paripáit."

Muzsikaház

A Lovardától nyugati irányban, a park szélén áll az ún. Muzsikaház. Egyemeletes, téglalap alakú, barokk épület, udvara árkádos folyosókkal szegélyezett. Itt laktak az Esterházy-udvartartás énekesei, zenészei, színészei, de volt az épületben patika és orvosi lakás is. Az épületnek az eredeti ábrázolásokhoz viszonyítva jelenleg mindössze fele áll.

"Itt az Egéssége kinek meg-bomlik?
Orvoss, Apotheka mind feltaláltatik.
Ér-vágásra kinek-szűksége látzatik'
Barbél, Fercsel tűstén
nyomában adatik."

Az emeleten, két szobás lakásban élt Joseph Haydn, melyet az épület nyugati homlokzatán elhelyezett emléktábla – Bory Jenő szobrászművész alkotása – jelez. Az épületet többször átalakították, árkádjait befalazták. Haydn születésének 250. évfordulójára felújították, árkádjait kibontották. Ma Fertőd egyik legszebb barokk műemléke.

Az épületben zeneiskola, az önkormányzat hivatali helyiségei és a könyvtár kapott helyet. Udvarán nyaranta kamarakoncerteket rendeznek.

Beszálló vendéglő

A Muzsikaháztól nyugatra található az "Udvarosház", eredeti nevén "Beszálló

Das Haus wurde mehrmals umgebaut, die Arkaden zugemauert. Anläßlich des 250. Geburtstages Haydns wurde das Gebäude erneuert, die Arkaden freigelegt. Heute ist es eines der schönsten Bauwerke in Fertőd.

In dem Gebäude befindet sich heute eine Musikschule, die Amtsräume der städtischen Selbstverwaltung und eine Bibliothek. Im Sommer werden im Hof Kammerkonzerte veranstaltet.

Der Einkehrgasthof

Westlich vom Musikhaus lag das "Gesindehaus", unsprünglich "Einkehrgasthof" genannt, ein U-förmiger Bau mit Bogengängen. Errichtet wurde das Haus, in dem die weniger vornhemen Gäste wohnten, als man die einkehrenden Gäste im Musikhaus nicht mehr unterbringen konnte, weil alle Räumlichkeiten für die ständig beschäftigten Künstler nötig waren.

Vor dem Besuch Maria Theresias in Eszterháza wurde im Sommer 1773 im damaligen Einkehrgasthof das Inventar aufgenommen, das heute im Landesarchiv aufbewahrt wird und genaue Angaben über Gesinde, Zimmer und Hausrat enthält: 22 Personen arbeiteten in dem Haus (Kellner, Stubenmädchen, Koch, Putzfrauen, usw.). Im 1. Stock befanden sich acht Gästezimmer, ein Speisesaal und acht Musikzimmer. In den Gästezimmern im Stock wurden die "Herrschaften" untergebracht, ebendig die Begleitung, die Diener. In den Zimmern standen zwei Betten mit Strohsack und Matratze, Bettuch, Decke. Eßbesteck, Teller, Weine, Gewürze, Speisen sind im Inventar ebenfalls genau vermerkt. Auffallend ist die hohe Anzahl von Trinkgläsern (400) und verschiedenen Flaschen (150 + 800). Aus dem Inventar kann gefolgert werden, daß der Gasthof auch die für die Lustbarkeiten verpflichteten Tänzer versorgte.

In dem erhalten gebliebenen Gebäude

Roadhouse Inn

The „Court-house", originally called „Roadhouse Inn", is situated west of the Musichouse. It is a U-shaped building with arcades. It was built when guest could not be put up in the Music house anymore as every room there was needed for the artists residing there permanently. The less distinguished guests were accommodated in the Roadhouse Inn.

In summer 1773, prior to the visit of Maria Theresa to Eszterháza, an inventory was made at the then existing Roadhouse Inn. The inventory that has come down to us and which is kept in the National Archives lists the staff, the number of rooms and assets. Accordingly, the building had a working staff of 22 (waiters, parlourmaids, chef, cleaners, etc.). There were 8 guest rooms, a restaurant and 8 music-rooms on the upper storey of this building. The guest rooms on the upper storey served the „titled persons" while those on the groundfloor accommodated the entourage, the valets etc. The rooms had two beds, provided with straw sacks and matresses, linen and blankets. The inventory listed the cutlery, plates, wines, spices and foods. The number of drinking glasses was conspicuously large (400), just like that of the various bottles (150 + 800). From the date of the inventory, we can draw the conclusion that it was this restaurant which also catered for the dancers hired for the merry-makings.

This building is still there; it now houses the „Haydn Restaurant" and a tourist hostel accommodating 60-70 guests.

Buildings for the Guard

Opposite the iron gate of the castle, north of the road, still stand the Grenadiers' Houses, where the prince's armed guards stayed.

These are simple baroque buildings with arcades. The Esterházy family was entitled to have its own uniformed guards. The 150-

vendéglő". Árkádos, U-alakú épület. Akkor épült, amikor a muzsika-házban vendégeket már nem lehetett elszállásolni, mert minden hely az állandó művészeknek kellett. Az új vendéglőben szállásolták el a kevésbé előkelő vendégeket.

Mária Terézia eszterházi látogatását megelőzően, 1773 nyarán az akkori vendéglőben leltárt készítettek. A megmaradt leltár (az Országos Levéltárban őrzik) felsorolja a személyzetet, a szobák és eszközök számát, mely szerint összesen 22 személy dolgozott az épületben (pincérek, szobalány, szakács, takarítók, stb.) A vendégépület emeletén 8 vendégszoba, egy étterem és 8 zeneszoba volt. Az emeleti vendégszobák az "uraságok" részére szolgáltak s a földszinti a kíséreté, az inasoké. A szobák kétágyasak, szalmazsákkal és matraccal, lepedővel és takaróval ellátva. A leltár felsorolta az evőeszközök, tányérok számát, a borokat, fűszereket, ételeket. Feltűnően magas az ivópoharak száma (400) és a különböző palackoké (150+800). A leltár adataiból következtethetünk, hogy a vendéglő látta el a vigasságokra berendelt táncosokat is.

"Széplakrúl ez várig utat szép Alléval,
Készétett nagy roppant
Vendég fogadóval,
Kétt felől egyforma számos Házoival,
Akár mely Városban illő Bóttyaival."

Az új vendéglőt és környékét így írja le a költő. Ma is áll az épület, melyben a "Haydn Étterem" és a 60-70 személyt befogadó turistaszálló működik.

Őrségépületek

A kastély vaskapujával szemben, az országúttól északra még ma is állnak az ún. Gránátosházak, ahol a hercegi fegyveres testőrség tartózkodott.

Egyszerű árkádos, barokk épületek. Az Esterházy családot megillette a saját, egyenruhás testőrség tartásának joga. Legalább 180 cm magas növésű ifjakból válogatták ki

befinden sich heute das „Restaurant Haydn" und das Touristenhotel mit Unterkünften für 60-70 Personen.

Die Wachthäuser

Gegenüber dem eisernen Schloßtor, nördlich der Landstraße stehen noch heute die sog. Grenadier-Häuser, einfache Barockbauwerke mit Bogengängen, in denen sich die bewaffnete Leibwache des Fürsten aufhielt. Die Familie Esterházy hatte das Privileg, eine eigene uniformierte Leibwache zu halten. Die 150 „Grenadiere" waren mindestens 180 cm große junge Burschen, deren Uniform vom Fürsten hochpersönlich entworfen worden war: dunkelblauer Rock mit rotem Spiegel, weiße Weste und Strümpfe, schwarze Bärenfellmütze mit gelbem Schirmleder.

Die Gebäude wurden restauriert, die äußere historische Form belassen. In einem wurde ein Espresso eingerichtet, das andere in den Dienst des Fremdenverkehrs gestellt.

Das Haus der Gutsverwaltung

Wir setzen unseren Rundgang im östlichen Teil des Parkes fort, wo neben dem eisernen Seitentor sich das Gebäude der Gutsverwaltung erhebt. Es ist ein einstöckiges Bauwerk mit 15 Fensterachsen, die ebenerdigen Fenster haben Steinrahmen. In der mittleren Achse über dem Tor ist ein gewelltes Gesims mit zwei steinernen Urnen zu beiden Seiten zu sehen. Über den drei mittleren Fenstern das Esterházy-Wappen im verzierten Giebelfeld. Über den beiden äußeren Achsen erhebt sich je eine Attika.

strong guards were selected from young men who were at least 180 cm tall. Their uniform was designed by the prince himself: a dark blue jacket with red lapel, white waistcoat and stockings, black bearskin furcap with yellow eye-flap.

The buildings have been restored and from the outside, their original forms have been preserved. One of them has been turned into a coffee-shop, while the other one is used for tourism.

Building of the estate manager

Let us continue our stroll in the eastern park of the castle, where stands the building of the onetime estate manager, near the wrought-iron side gate. It is a two-storey edifice with 15 window axes and with stone-framed windows on the groundfloor. In the middle axis, just above the gate, a rippled ledge is visible with stone urns on the two sides. Above the three windows in the middle stands the Esterházy coat of arms, flanked in an ornamental gable. An attic with trophies mounts above the two outermost axes. The building is a simple one.

Puppet Theatre

(Built in 1773)
Making our way to the south, we find the Puppet Theatre.

In the year 1874, the „Beschreibung" gave the following presentation of it: „Opposite the opera you come across the spacious Puppet Theatre. It has no boxes or gallery and its groundfloor auditorium seems to resemble a cave; the walls, the a 150 főnyi "gránátos"-t. Egyenruhájukat maga a herceg tervezte; sötétkék kabát piros hajtókával, fehér mellény és harisnya, fekete medveprém kucsma sárga ellenzővel.

*"E' Vár előtt vannak még
két épületek,
A Granatérosok mellyekben tetettek,
Kik e'Vár őrzéssére kőteleztettek,
Elejbek fegyverek: 's Ágyul
helyhesztettek."*

Az épületeket helyreállították, kívülről meghagyták eredeti formájukat. Az egyikben kávézót rendeztek be, a másikat is az idegenforgalom céljaira alakították át.

Gazdasági igazgatóság épülete

Körsétánkat folytassuk a kastély keleti parkjában, ahol az oldal-vaskapu mellett áll az egykori gazdasági igazgatóság épülete. Egyemeletes, 15 ablaktengellyel, a földszinten kőkeretes ablakokkal. Középső tengelyében a kapu felett hullámos párkány látható, két szélén kőurnával. A három középső ablak felett díszes oromzatban az Esterházy-címer. A két szélső tengely fölé trófeás attika emelkedik. Az épület egyszerű megoldású.

Bábszínház

(Épült 1773-ban)
Délre haladva állt a Bábszínház.

*"Más vörös Épület a' konyha
-kert kőrül,
Találtatik, itten: az az Nap-keletrűl;
Mellyben Márionet játéka tükőről,
Néha ki-tétetik: azon ki ki őrül."*

A "Beschreibung..." 1784-ben így mutatta be:
"Az operával szemben áll a tágas, de páholyok és karzat nélküli Bábszínház: Földszinti nézőtere barlanghoz hasonló a falak, benyílók és nyílások különféle lép-

Das Marionettentheater

(Erbaut 1773)
In südlicher Richtung fortschreitend erreicht man das ehemalige Marionettentheater.
Eine Beschreibung aus den Jahre 1784 besagt:
„Daß vis-á-vis der oper das geräumige, doch ohne Logen und Galerie errichtete Marionettentheater steht. Der ebenerdige Zuschauerraum ähnelt einer Grotte: die Mauern, Nischen und Öffnungen sind mit Stufen, Muscheln und Schnecken verziert.
Das Theater ist ziemlich geräumig, die Kulissen sehr hübsch, die Marionetten gut gemacht und in prunkvollen Kleidern.
Nicht nur Schwänke und Märchen werden aufgeführt, sondern auch ernste Opern. Dieses Theater ist einzigartig, den seine Vorstellungen kann jeder besuchen." (5.)
Das Gebäude wurde im vorigen Jahrhundert umgebaut. Da und dort sieht man noch die zugemauerten Rhamen der Türen und Fenster. Heute wird es als Kornkammer, als Lagerhaus, benutzt.

Spaziergang im Lustwäldchen

Vom großen Parterre, dem ebenen Gartenteil aus, führen die Alleen in alle Richtungen des 600 Katastraljoch (etwa 350 ha) großen geflegten Waldes.
Hinter dem Schloß, im sog. Lustwäldchen wurden an den Schnittpunkten der Alleen Lichtungen geschaffen, die als Vergnügungsorte dienten. Einer war der Sonnentempel, ihm gegenüber östlich der linken Allee der Diana-Tempel.
„... Am Giebel des Sonnentempels leuchtet eine Sonne, im Inneren vier Stufen, die Wände getäfelt und mit Blumenkränzen behangen. Fünf große Wandspiegel, unter jedem kleine Tische mit Platten aus Carrara-Marmor und auf den Tischen indische

alcoves and openings are ornamented with various stairs, shells and snails. The theatre is spacious enough, its sets are very attractive, the puppets are finely-made and provided with chic dresses.
Not only farces and fairy tales, but classical operas are also performed here. In its own genre, this theatre is unique, and its performances are open to all, free of charge." (5.)
The building was rebuilt in the last century. The frames of the walled-up ornamental doors and windows can still be seen in several parts. At present, it is used as a granary and a warehouse.

Walk in the merry-making forest

The boulevards which run across the 852 acre park forest start out from the big parterre.
In the merry-making forest situated behind the castle, clearings were cut at the crossing points of the roads and used as venues for entertainment. At one of them was erected the Sun Temple, opposite to it the Diana Temple, east of the alley on the left side. The ridge of the Sun Temple; „... is decorated with the picture of the Sun, with four stairs inside. Its walls are covered with wainscot, decorated with flower garlands. There are five wall mirrors, under each of them small tables covered with Carrara marble; on which there are Indian and Chinese porcelaine figures. A richly gilded clock stands on the red marble fireplace depicting the Sun, with gilted furniture all around. The chairs and the couch are green. The ceiling is white and is decorated with a gilded Sun-image. Eight alleys lead from the temple, which is decorated with sculptures of dwarfs..." (6.)
A road lined with thick bushes leads to the Hermit's House surrounded by a fence of thorns. It is a simple building, with a big cross in front of the cell, and the figure of a beggar carved from wood standing be-

csőkkel, kagylókkal és csigákkal vannak díszítve. A színház elég tágas, a díszletek nagyon csinosak, a bábok jól elkészítve és pompás ruhákkal ellátva.

Itt nemcsak bohózatokat és meséket, hanem komoly operákat is előadnak. Ez a színház a maga nemében egyedülálló, előadásait bárki ingyen látogathatja."(5.)

Az épületet már a múlt században átalakították. Helyenként láthatók még a befalazott díszajtók és ablakok keretei. Jelenleg magtárnak, raktárnak használják.

Séta a mulatóerdőben

A nagy parterre-ről indulnak ki a sugárutak, melyek a mintegy 600 kh nagyságú parkerdőn végigfutnak.

"Vannak ezen Lésnek három
főuttyai,
Mellyeken egyenest a' Vár Ablakjai,
Láttatnak szent Miklós,
és Széplak Tornyai,
vannak más kűlönös elől-láttatyai."

A kastély mögötti ún. mulatóerdőben az utak metszési pontjain szórakozóhelynek használt tisztásokat alkítottak ki. Ezek egyike volt a Naptemplom, vele szemben a bal oldali állétól keletre a Dianatemplom. A Naptemplom "...ormzatán a nap képével díszítve, belsejében négy lépcső, falait faburkolat borítja, virágfűzérekkel díszítve. Öt nagy falitükör, mindegyik alatt karrarai márvánnyal fedett asztalkák, rajtuk indiai és kínai porcelánfigurák állnak. A vörösmárvány kandallón dúsan aranyozott, Napot ábrázoló óra, aranyozott bútorok. A székek és a pamlag zöld színűek. A mennyezet fehér, melyet aranyozott Nap díszít... A templomtól nyolc fasor indul, mely törpék szobraival van díszítve..."(6.)

und chinesische Porzellanfiguren. Am Kamin aus rotem Marmor eine schwer vergoldete Uhr, die Sonna symbolisierend. Vergoldete Möbel, die Sessel und das Sofa grün, den weißen Plafond ziert eine vergoldete Sonna... Vom Tempel gehen acht Alleen aus, die von Zwergfiguren flankiert werden..." (6.)

Ein mit dichtem Gestrüpp bewachsener Weg führt zur Einsiedelei, die Dornenhecken umzäunen. Vor der Zelle ein großes Kreuz, hinter der Tür ein holzgeschnitzter Bettler. Im Inneren ein kleiner Altar mit einem Porzellankruzifix und Kerzenhalter aus versteinertem Holz. Hinter der Einsiedelei ein kleiner Garten, in dem ein holzgeschnitzter und bemalter Einsiedler sitzt und liest. Um ihn herum Tierfiguren.

Unweit der Einsiedelei der Márkustér (Markus Platz), Ort großer Feuerwerke und dann inmitten des großen Feldes der riesige Wasserfall, während der Gartenfeste von 20 000 Lampen beleuchtet. Auf der mittleren Allee weiterschreitend, gelangt man auf der rechten Seite zum Chinesischen Haus, „Bagatelle" genannt.

hind the door. Inside, there is a small altar with a porcelaine crucifix and candlesticks made of petrified wood. Behind the lodge, there is a small garden with a hermit, carved from wood, witting and reading. He is surrounded by animal figures.

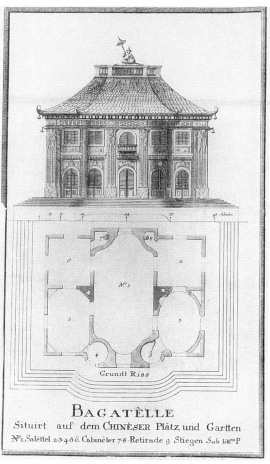

BAGATÈLLE
Situirt auf dem CHINÉSER Plàtz, und Gartten
Nº L Saléttel 2-3-4-5-6. Cabinéter 7-8-Retirade 9. Stiegen Sub littªP.

Bagatelle, Chinesisches Lusthaus

Unter den Lusthäusern im Park war das als letzte gebaute chinesische „Bagatelle" das größte. Eine Wendeltreppe führte zur Galerie des zweistöckigen Bauwerkes. Die Hauptfassade des fünfachsigen Gebäudes wurde durch schlanke Wandpfeiler geteilt. Auf dem grün-rot bemalten Dach saß ein Chinese unter einem Sonnenschirm. Kleine Glocken auf dem Dach und an den hervorstehenden Teilen erklangen beim geringsten Windhauch. Im ersten Stock und im Erdge-

The Márkus Square, venue of big fireworks, is near by, while in the middle of the large area there is a huge waterfall, which was illuminated by 20 thousand lamps during the garden amusements. Passing along the middle alley, we find the Chinese house to the right.

Bagatelle, Chinese amusement house

The largest among the amusement houses of the park was the one built last: the Chinese House or „The Bagatelle", a two-

"A' hol minden féle giz-gaz
neveltetett,
Oda Dianának vig-Hely épéttetett,
Ennek ellenében ismét emeltetett
Épület, melly főlé Nap képe tétetett."

Sűrű, bozótos út vezet a Remetelakhoz, melyet tüskesövény kerítés övez. Egyszerű épület, a cella előtt nagy kereszt, az ajtó mögött fából faragott koldus áll. Belül kis oltár porcelánfeszülettel, megkövesedett fából készült gyertyatartókkal. A lak mögött kis kert húzódik, benne fából faragott és festett remete ül és olvas. Körülötte állatfigurák.

"Helét a' természet máskint nem
tehette,
Mint kézi munkával ide égyengette,
Remete lakását mint itt kerengette,
Az Okoss találmány miként
emlegette.

Közelben a Márkus-tér, a nagy tűzijátékok színhelye, majd a nagy térség közepén a hatalmas vízesés, melyet a kerti mulatságok idején 20 ezer lámpával világítottak ki. A középső allén továbbhaladva jobbra találjuk a Kínai házat, a Bagatelle-t.

Bagatelle, Kínai táncoló-ház

A parkot ékesítő szórakozóházak között a legnagyobb volt az utolsóként épített Kínai ház, az ún. "Bagatelle". Kétemeletes, díszes épület, melynek karzatára csigalépcsőn lehetett feljutni. Az öttengelyes épület főhomlokzatát karcsú pilaszterek tagolták. A tető zöldre és pirosra festett, csúcsán egy kínai ült napernyővel. A tetőn és annak kiugró részein kis csengettyűk függtek, melyek a legkisebb szellőtől is kedves harangozást csaptak. Az emeleten és a földszinten 4-4 kis szoba és egy-egy nagyméretű középső épült. A falakat kínai tájképek díszítették. A bútorzat kínai, sőt minden berendezési tárgy keletről származott. Az elmúlt évek-

schoß gab es je vier kleine und in der Mitte ein großes Zimmer.

Die Wände wurden von chinesischen Landschaftsbildern geschmückt, das Mobilar war chinesisch und auch alle anderen Einrichtungen und Gegenstände stammten aus dem Fernen Osten. Die in jüngster Zeit durchgeführten Grabungen förderten die Grundmauern des Gebäudes zutage, auf denen ein modernes „Bagatelle" errichtet wurde, in der Gästezimmer und dazugehörende Räume eingerichtet wurden.

Das Chinesische Lusthaus war als Anhang des ersten Opernhauses gebaut. Darin hatte das Orchester seinen eigenen Balkon. Für einen Ball mußten sich die Mitglieder in Gold und Silber kleiden und gelbe Hüte mit kleinen Glöckchen tragen. In dem mit Chinoiserie-Elementen verzierten Gebäude brach im Dezember 1779 Feuer aus, welches sowohl das chinesische Lusthaus wie das Gebäude des ersten Opernhauses vernichtete.

Warum das Chinesische Haus „Bagatelle" hieß? Anläßlich des Besuches von Königin Maria Theresia zeigte ihr der Fürst das Haus. Die Monarchin fragte den Fürsten, welche Summe er für den Bau verwendet habe? Der Fürst antwortete mit einer wegwerfenden Handbewegung: „Ach, eine Bagatelle".

Das mit chinesischen Elementen und Motiven geschmückte Gebäude verfiel im vorigen Jahrhundert.

Der Tempel der Fortuna und Venus

Fast schon am Ende des Lustwäldchens steht auf einem rechteckigen Platz der Tempel der

storey, richly ornamented building, the gallery of which could be reached by a spiral staircase. The main facade of the five-axis edifice was divided by slim pilasters. The roof was painted green and red, with a Chinese figure sitting on the peak and holding a parasol. Small bells hung on the roof and on its protruding parts, and even the slightest breeze made them chime nicely. There were 4 rooms, both on the upper floor and on the ground-floor, as well as a large-size hall in the Bagatelle.

The walls were decorated with Chinese landscape pictures. The furniture was Chinese, and indeed, every object of the rooms came from the Orient. Research conducterd in recent years uncovered the foundations, on which a Bagatelle of a more modern form was built, which now houses guest rooms and places to serve tourism. The Chinese house was built in junction to the first Opera-house. The musicians had a separate gallery; during the balls, they had to dress into gold and silver outfits and wear yellow hats, fitted with bells.

In the building decorated with chinoiserie elements a fire broke out in December 1779 and destroyed both the Chinese house and the Opera.

The origin of the name „Bagatelle" is well known. During Maria Theresa's visit, the prince showed her the Amusement House. The Queen asked the prince about the sum he spent on building it. The prince's answer – accompanied with a wave of his hand – was: „Ah, it's bagatelle" (it's trifle).

The building decorated with Chinese elements perished in the last century.

ben végzett kutatások megtalálták az épület alapjait, amelyre felépült egy modernebb formájú Bagatelle, melyben vendégszobákat és az idegenforgalmat kiszolgáló helyiségeket rendeztek be.

A kínai táncoló-ház az első operaházzal összefüggően épült. A zenészeknek ebben külön erkélyük volt, bál alkalmával aranyba, ezüstbe kellett öltözniük és kínai módra sárga, csengettyűs kalapot hordaniok. A chinoisere elemekkel díszített épületben 1779. decemberében tűz keletkezett és vele együtt az első operaház is leégett.

Fortuna- és Vénus-templomok

A mulató erdőnek majdnem a végén egy hosszúkás alakú négyszögű téren épült Fortuna-templom, melynek tetején Fortuna istennő szobra állt. A mulató-templomot zöldre festett ráccsal kerítették körül, előtte virágágy, mögötte nagy, drótos madárkalitka. A kínai festéssel díszített belső falak falusi mulatságokat ábrázoltak. Padozata csiszolt kövekből készült. A vörösmárvány kandallón díszes óra, vázák és porcelánfigurák ékeskedtek. Nem messze épült a Vénus-templom, mely kívülről hasonmása az előbbinek, tetőpárkányán a Szerelem-istennő szobra állt.

Oldalt terült el a "Rózsakert", mely pihenést nyújtott a sok fönséges látvány nézésében kifáradt szemnek.

Feljebb egy nagy kapu nyílt, melyen át a "Vadaskertbe" érkezett a látogató. E terjedelmes erdő területét kőoszlopok és zöldre festett rácskerítések zárták be. A Vadaskertben hemzsegett a sok szarvas, fácán és számos "nemes" madár. Déli oldalán egy fasorokkal határolt tó, keleti oldalán egy vadászlak, majd a vaddisznós kert, és a közelben még egy tó vonzotta az érdeklődőket. Az egész terjedelmes erdőt tégla- és vaskerítés vette körül.

A Vadaskert megtekintésére egy hatalmas, minden igényt kielégítő, "szekér" állt

---

Fortuna, auf dessen Dach eine Statue der Göttin Fortuna. Der Vergnügungstempel ist von einem grün gestrichenen Gitter umgeben, davor Blumenbeete, dahinter ein großer Vogelkäfig. Die chinesischen Malereien auf den Innenwänden stellen dörfische Belustigungen dar. Der Boden besteht aus geschliffenen Steinen, auf dem Kamin eine Zieruhr, Vasen und Porzellanfiguren.

Nicht weit vom Fortuna-Tempel befindet sich der Tempel der Venus, äußerlich ein Ebenbild des Fortuna-Tempels, nur daß hier auf dem Dachgesims die Statue der Liebesgöttin steht.

Seitlich davon lag der "Rosengarten", der nach einem ermüdenden Rundgang zum Ausruhen einlud.

Etwas weiter oben gelangte man durch ein großes Tor in den "Jagdgarten". Den ausgedehnten Wald umschlossen Steinsäulen und grün gestrichene Gitterzäune. Auf der Südseite des Parkes befand sich ein von Alleen umgebener Teich, an der Ostseite ein Jagdhaus, dann der Wildschweinpark und in der Nähe noch ein Teich. Der ganze ausgedehnte Wald war von einem Backstein- und Eisenzaun umgeben.

Für die Besichtigung des Wildparkes stand ein riesiger, allen Ansprüchen genügender Wagen mit Zimmer, Tischen und Stühlen zur Verfügung. Der wunderbare Park war im 18. Jahrhundert für jedermann zugänglich, jeder konnte dort lustwandeln.

Der Park wurde fast gänzlich vernichtet. Die Lusthäuser wurden bereits im vergangenen Jahrhundert abgerissen, die Statuen, Zäune aus den Alleen weggetragen. Die vom Schloß ausgehenden drei Alleen lassen noch die Pracht und Schönheit des Parkes ahnen, von der 2 m hohen Backsteinmauer ist nur ein Abschnitt erhalten.

"Lustbarkeiten in Eszterháza"

Die Glanzzeit des Schlosses währte von 1768 bis 1790. Die erste große Feier fand

---

Fortuna and Venus Temples

The Fortuna Temple stands almost at the end of the amusement-forest, in the middle of a quadragular square. The top of the Temple is decorated with a sculpture of the Goddess Fortune. The amusement-temple is encircled with bars painted green, with a flower bed in front of it and a large bird cage behind it. The inside walls, decorated with Chinese painting motives, depict scenes from village amusement. Its pavement was made of polished stones. There is a richly ornamented clock on the red marble fireplace, in the company of vases and porcelaine figures.

Not far from it is the Venus Temple which viewed from the outside is the replica of the former one, with the statue of the Goddess of Love on the roof ledge.

Sideways there is the "Rose Garden", which provides rest to the eye, exhausted from the many superb sights.

A bit farther on, there is a large gate through which we reach the "Game Preserve". The area of this fairly spacious forest is encircled by stone pillars and green fences. The Game Preserve, which abounds in deer, pheasants and lots of "noble birds" is found outside the amusement forest. A lake bordered with trees is visible on the southern side, while on the eastern one there is a hunting lodge, then the wild boars' areas, and another lake in the vicinity. The whole spacious forest was encircled by stone and iron fences.

A huge carriage, furnished with all comfort, tables and chairs, was available for the ride through the Game Preserve. In the 18th century, the wonderful park was open to all. Everyone was allowed to walk in it.

The park was almost fully destroyed. The amusement houses were pulled készen, szobával asztalokkal, székekkel felszerelve. A csodálatos park a 18. században mindenki előtt nyitva állt, bárki sétálhatott benne.

"Ebben sétálásra van útt a'
szekérnek,
Árnyékos- Helyei a'gyalog
embernek,
Vagyon engedelem Urnak,
és szegénnek,
Itten sétálgatni a' jövevényeknek"

A park csaknem teljesen elpusztult. A mulatóházakat már a múlt században lebontották; a sugárútjait ékesítő szobrokat, kerítéseket széthordták. A kastélytól kiinduló, három sugárút még utal a hajdani szépségre. A két méter magas téglakerítésnek csak egy szakasza látható.

"Eszterház vigasságok"

A kastély fénykora 1768-tól 1790-ig tartott. Az első nagyszbású ünnepséget 1770-ben rendezték, amikor a herceg bemutatta kastélyát és udvartartását a bécsi arisztokráciának. A legkáprázatosabb ünnepség 1773-ban történt, amikor Mária Terézia, magyar királynő látogatást tett Eszterházára. Miklós herceg Sopronban fogadta a királynőt és kíséretét, majd Széplakon át vezette vendégeit palotájába.

"Mihent birásában Széplak
tétettetett,
Azonnal Sopronnak utat készéttetett,
Mellyen nem sokára mi
fel-kenettetett,
Koronás Királynénk ide vezettetett.

Az ünnepségekről készült feljegyzésekből idézünk: "...a tüzijátékot maga a királynő indította el azzal, hogy meggyújtotta a zsinórt. A tűzcsomóból kirajzolódó kép az égszínkék mezőben Magyarország címerét ábrázolta, kétoldalt kiterjesztett szárnyú angyalokkal, felette három betű: VMT (való-

1770 statt, als der Fürst Schloß und Hof der Wiener Hocharistokratie zeigte. Die glänzendste Feierlichkeit jedoch fiel in das Jahre 1773, als Maria Theresia, Königin von Ungarn, Eszterháza besuchte. Fürst Miklós empfing die Monarchin und ihr Gefolge in Sopron (Ödenburg) und führte die hohen Gäste über Széplak in sein Schloß.

In den Aufzeichnungen über die Feierlichkeiten heißt es u.a.: „...*Das Feuerwerk wurde von der Königin eröffnet, als sie höchstpersönlich die Schnur zündete. Das sich im Feuerwerk abzeichnende bild ergab das Wappen Ungarns im himmelblauen Feld, zu beiden Seiten die Engel mit ausgebreiteten Flügeln und die Buchstaben VMT (wahrscheinlich Vivat Maria Theresia). Es folgten Schlangen und Sternfiguren und aus großer Höhe fiel Goldregen... Überall wurden Feuer angezündet...*" (7.)

Auch die Beschreibung des Besuches des kaiserlichen Hofes anno 1775 vermerkt einige interessante Einzelheiten, so z.B.

die Spazierfahrt der Gäste am Nachmittag in den Wald, wo es eine Marktschreierbude, eine „singende Heuchlerin", einen Tanzplatz, auf dem die Gäste sich zu Bauernmusik geziert bewegten, gab; Spaßmacher, tanzende Affen, Löwen im Käfig, Tiger, Marionettenspieler zeigten ihre Figuren und ein „Zahnarzt" vollführte, auf 18 Fuß hohen Stelzen stehend, seinen Eingriff...

Neben der glänzenden Hofhaltung spielte Eszterháza mit seinem Musikleben, aber auch im kulturellen Leben dieser Epoche eine sehr bedeutende Rolle. Dies war Joseph Haydn zu verdanken, der seine schöpferischsten Jahre im Dienste des Fürsten Miklós verbrachte. Über 160 Bariton-Stücke schrieb er für seinen Herrn, Trios und Streichquartette, Opern, komische Opern, Symphonien und Messen entstanden in Eszterháza, wo auch die Uraufführung mehrerer Opern stattfand. Haydn dirigierte über 100 Werke in Eszterháza. Fürst Miklós, der selbst gern mu-

down already in the last century, the statues and fences decorating its avenues were carried away. The three avenues starting from the Castle still recall its one-time beauty. Only one section of the two-meter-high brick fence has survived.

„Merry-makings at Eszterháza"

The golden age of the castle lasted from 1768 to 1790. The first, large-scale celebrations were held in 1770, when the prince presented his castle and household to the Vienna aristocracy. The most dazzling celebration took place in 1773, when Maria Theresa, the Queen of Hungary paid a visit to Eszterháza. Prince Miklós received the Queen and her entourage in Sopron.

We quote from notes made of the celebrations: „... the fireworks were started by the Queen herself, by setting fire to the firing-tape. The picture which took shape from the fire depicted the arms of Hungary in a sky-blue background, with angels of spanned wings on two sides, with three letters above which read: V.M.T. (probably meaning: Vivat Maria Theresa). Then snake and star-shaped figures were seen on the sky and „golden rain" fell from great heights... And fires flared up..." (7.)

The description of the visit of the Emperor's court in 1775 also mentions some points of interest:

... in the afternoon, the guests went by carriage to the park. There were barkers, like those at fairs, a singing 'picture-showing woman', a dancing place, where the guests enjoyed themselves at the bars of peasant music, and clown, dancing monkeys, lions and tigers in cages. The puppet players presented their puppets, and farther on, you could see a 'dentist' who performed his operation while dancing on 18 foot tall stilts...

In addition to sumptuous entertainments, music life at the court of Eszterháza played a rather significant role in the

színű Vivat Maria Terézia), majd kígyó és csillagfigurákat lőttek fel, és nagy magasságból aranyeső hullott... Tüzek gyúltak..."(7.)

A császári udvar 1775-ben tett látogatásának leírása is említ néhány érdekességet: ...Délután a vendégek kikocsikáztak a parkba. Volt ott vásári kikiáltó bódé, "éneklő képmutatónő" tánchely, ahol parasztmuzsikára illegették magukat a vendégek, bohócfigurák, táncoló majmok, ketrecben oroszlánok, tigrisek, bábjátékosok mutogatták figuráikat, másutt egy "fogorvos" aki 18 láb magas gólyalábakon táncolva végezte műtétjét.

A fényűző szórakoztatás mellett az eszterházi udvari világ a kor kultúrális életében igen jelentős szerepet töltött be zenei életével. Joseph Haydnnak alkotásokban azok a leggazdagabb évei, melyeket Miklós herceg szolgálatában töltött. Több mint 160 baritondarabot írt gazdájának, triók és vonósnégyesek, operák, vígoperák, szimfóniák, misék születtek Eszterházán.

sizierte, erbat von seinem Kapellmeister immer wieder neue Stücke.

Miklós Esterházy starb 1790. Mit seinem Tode hörten auch die glanzvollen Feierlichkeiten auf. Sein Sohn, sein Enkel und seine Nachkommen fühlten sich in der Rokoko-Pracht nicht mehr wohl und zogen sich nach Kismarton (Eisenstadt) im Burgenland und auf andere Schlösser zurück.

*D*as berühmte Orchester wurde aufgelöst, es begann der langsame Verfall von Eszterháza. Die Schatzkamer und die Gemäldesammlung wurden nach Wien und Eisenstadt gebracht. 1824 klagte ein Reisender, der Eszterháza besuchte, wehmütig:

„Leer ist das Kabinett der Raritäten und Kostbarkeiten... Die großen Wasserbehälter und Springbrunnen im Hof,

cultural life of the age. Joseph Haydn spent the most prolific life of his career at Eszterháza, in Prince Miklós' service. He wrote more than 160 pieces for the bariton of his master and a large number of trios, string quartets, operas, comic operas and symphonies were composed at Eszterháza. A lot of his operas had their premier here and there are over hundred of them he donducted. Esterházy himself also played music, and kept asking for more and more compositions from his conductor.

In 1790, Miklós Esterházy died and his death marked the end of the magnificent celebrations. His son, grandson and successor did not enjoy the rococo pomp. They withdrew to Kismarton and to their other castles.

The famous orchestra was disbanded and the slow decay of Eszterháza started. The treasury and the picture collection were moved to Kismarton. This is how a traveller lamented in 1824:

PROSPECT DER FÜRSTLICHEN HAUPT THOR — RESIDENZ ESZTERHAZ VON DEN GEGEN NORDEN.

zán. Több operájának itt volt az ősbemutatója, száznál több azok száma, melyet Eszterházán vezényelt. Esterházy maga is muzsikált, s állandóan újabb és újabb darabokat kért karmesterétől.

Esterházy Miklós 1790-ben meghalt, halálával a fényes ünnepségek is megszűntek. Fia, unokája és utódai már nem érezték jól magukat a rokokó pompában, visszavonultak Kismartonba és más kastélyaikba.

A híres zenekart feloszlatták, Eszterháza csendes pusztulása megkezdődött. A kincstárat és a képgyűjteményt Bécsbe és Kismartonba szállították. Ekként kesereg egy utazó 1824-ben:

"Üres a ritkaságok és drágaságok kabinetje... A nagy víztartók és ugrókutak az udvarban, a vár mellett s a kertben – melyek egyike hetvenezer forintba került – megszűntek lenni, köveik máshova hordattak hasznavehetetlenül. A különféle mesterségű ritka órák, remekművek a belső szobákból elvitettek. A kínai táncolóház leégett, a játékszínekben széna tartatik... A kertek el vannak hagyatva, a pázsitgyepen szemem láttára földi alma (krumpli) terem. De ama drága Bagatelle, Naptemplom, remeteház, ékes Diana, Fortuna, Vénus templomai is odavannak..."(8.)

Helyreállítás

A kastélyt a 20. század elején az Esterházy család helyreállíttatta. A parkokba, belső udvarra taxus- és buxusbokrokat, fenyőféléket ültettek,melyek ma is díszlenek.

A második világháborús események igen nagy károkat okoztak a kastélyon; berendezéseit elszállították, összetörték, széthordták. Dr. Porpáczy Aladár lelkes és kitartó kezdeményezésére a kastélyt sikerült a teljes pusztulástól megmenteni: kertészeti középiskolát, kollégiumot, irodahelyiségeket, lakásokat alakítottak ki az oldalszárnyakban, de a középső rész tovább romlott, üresen állt.

A jelentős helyreállítás 1975-ben vette kezdetét dr. Rados Jenő szakmai irányítá-

neben dem Schloß und im Garten von denen einer 70000 Forint kostete, gibt es nicht mehr, ihre Steine wurden verschleppt und verstreut. Die seltenen Uhren in den Innenräumen wurden weggetragen, das chinesische Tanzhaus brannte ab, in den Schauspielhäusern wird Heu gelagert... Die Gärten sind verwahrlost, mit meinen eigenen Augen sah ich, daß auf dem Rasen Kartoffel wachsen. Und die Bagatelle, der Sonnentempel, die Einsiedelei, die Tempel der Diana, Fortuna und Venus, sie alle sind verloren..." (8.)

Wiederherstellung

Das Schloß wurde Anfang des 20. Jahrhunderts von der Familie Esterházy wiederhergestellt. In den Parkanlagen, im Innenhof wurden Taxus- und Buxussträucher, Nadelbäume gepflanzt, die heute noch grünen.

Im II. Weltkrieg erlitt das Schloß schwere Schäden. Die Einrichtungen wurden abtransportiert, zerschlagen, in alle Winde verschleppt. Es ist der begeisterten und beharrlichen Initiative Dr. Aladár Porpáczys zu verdanken, daß das Schloß vor dem gänzlichen Verfall bewahrt werden konnte: In den Flügeln wurden Räumlichkeiten für eine Gartenbauschule, ein Kollegium und Büros geschaffen, Wohnungen eingerichtet, doch das Mittelstück des Schlosses blieb leer und verfiel weiter.

Die eigentliche Restaurierung begann 1957 unter der fachlichen Leitung von Dr. Jenő Rados. Die Außenmauern wurden neu verputzt und gestrichen, die Parkanlagen erneuert, der Prunksaal, der Musiksaal, die Sala Terrena und einige Salons wiederhergestellt. Ein Hotel wurde eingerichtet, das heute noch Gäste empfängt und eine Ausstellung über Leben und Wirken Joseph Haydns veranstaltet. 1959, zum 150. Todestag des großen Komponisten konnten die Teilnehmer des Internationalen Musikwissenschaftlichen Kongresses in würdiger Umgebung des von Zoltán Kodály geleitete Festkonzert hören.

"The cabinet of rarities and precious items is empty... The large water reservoirs and wells at the courtyard, near the castle and in the garden, each of which cost 60 thousand forints ceased to exist and their stones were carried away. The rare clocks by various masters which decorated the inner rooms were taken away. The Chinese dance house was burnt down and the theatre house is used as a hay-store. The gardens are abandoned and potato is grown on the onetime lawn. And those beloved places, the Bagatelle, the Sun Temple, the Hermit's House, the temples of Diana, Fortuna and Venus also are all gone..." (8.)

Restoration

In the early years of the 20th century, the castle was restored by the Esterházy family. Taxus and buxus bushes, as well as pine-trees were planted in the parks and inner courts which still exist.

Events of the Second World War caused considerable damage to the castle: its furnishing was carried away, broken and demolished. At the initiative of an enthusiast, Dr. Aladár Porpáczy, the castle was saved from utter destruction: a horticultural specialized school, a students' hostel, offices as well as flats were formed in the side wings. However, the central part deteriorated further and stood empty.

The major restoration started in 1957 under the professional guidance of Dr. Jenő Rados. The outside walls were replastered and repainted, the parks were restored, and the gala hall, as well as the music hall, the Sala Terrena and a few parlours were renovated. A hotel was set up which is still in operation. A memorial exhibition on Joseph Haydn's life was arranged. In 1959, on the 150th anniversary of the great sával. Újravakolták és festették a külső falakat, megszépültek a parkok, helyreállították a dísztermet, zenetermet, Sala Terrena-t és néhány szalont.

Szállodát alakítottak ki, mely ma is működik. Joseph Haydn életéről emlékkiállítást rendeztek. 1959-ben a nagy zeneszerző halálának 150. évfordulóján a zeneszeretők, a Nemzetközi Zenetudományi Kongresszus résztvevői méltó környezetben hallgatták a Kodály Zoltán vezényelte ünnepi hangversenyt.

Azóta minden évben megrendezik a Zenei Heteket, a Nemzetközi Haydn-fesztivált, amikor bel- és külföldi énekkarok, zenekarok hangversenyekkel bizonyítják a nagy Mester, Haydn szavait: "...az én nyelvemet megérti az egész világ."

Irodalom

Beschreibung des Hochfürstlichen Schlosses Esterhaz im Königreiche Ungern, Pressbung, 1784. (1-6.)

Hokkyné Sallay Marianne: A fertődi Esterházy kastély, 1979.

Dallos Márton: Eszterházi Várnak és ahoz tartozandó nevezetesebb helyeinek rövid leírása..., 1781.

Marót János: Fertőd, 1979.

Meller Simon: Az Esterházy Képtár története. Budapest, 1915.

Őrsi Károly: Fertődi kastélypark, 1982.

Az eszterházi Beszálló vendéglő 1773. évi leltára. Soproni Szemle, 1974. 3. sz.

Horányi Mátyás: Eszterházi vigasságok. Budapest, 1959.(7.)

Utazásbeli jegyzetek Óvárról, Kismartonról s Eszterházáról. Tudományos Gyűjtemény 1824. III. kötet, 40-56, oldal. (8.)

Drinoczy György: Böngészet Sopron Megye ismeretéhez 96. Eszterháza, 1837.

Dr. Hárich János: Eszterháza I. Műtörténet, 1944.

Gottfried v. Rotenstein: Reise durch einen Theil von Königreich Ungarn seit dem Jahre 1763. Eszterház.

Voit Pál: A Barokk Magyarországon, 1970.

Alljährlich finden seither die Musikwochen und das Internationale Haydn-Festival in Eszterháza statt. Bei diesen Anlässen bekräftigen Chöre aus dem In- und Ausland sowie Orchester mit ihren Darbietungen die Worte des großen Haydn:

„... meine Sprache versteht die ganze Welt."

Literatur

Beschreibung des Hochfürstlichen Schlosses Esterhaz im Königreiche Ungern, Pressburg, 1784. (1–6.)

Frau Hokky, geb. Marianne Sallay: Das Schloss Esterházy in Fertőd 1979. (A fertődi Esterházy kastély, 1979.)

Márton Dallos: Kurcze Beschreiburng der Burg in Eszterháza und der dazugehörenden namhafteren Orte 1781. (Eszterházi Várnak és ahhoz tartozandó nevezetesebb helyeinek rövid leírása...)

János Marót: Fertőd, 1979.

Simon Meller: Die Geschichte der Esterházy'schen Gemäldegalerie Budapest, 1915.

Károly Őrsi: Der Schloßpark in Fertőd 1982. Das Invertar des Einkehrgasthofes in Eszterháza aus dem Jahre 1773. Soproni Szemle, 1974. évfolyam 3. szám

Mátyás Horányi: Lustbarkeiten in Eszterháza 1959.(7.)

Reiseerinnerungen aus Óvár, Kismarton und Eszterháza, Wissenschaftliche Sammlung 1824. III. Band, 4O-56 S (8,)

György Drinoczy: Zur Geschichte des Komitates Sopron 96. Eszterháza.1837.

Dr. János Hárich: Kunstgeschichte von Eszterháza,1944.

Gottfried V. Rotenstein: Reise durch einen Theil von Königreich Ungarn seit dem Jahre 1763. Eszterház.

Pál Voit: Der Barock in Ungarn, Budapest, 1970. 76-78. 90 S

composer's death, music lovers, participants of the International Musicology Congress listened to a festive concert conducted by Zoltán Kodály.

Since then, the Music Weeks, the International Haydn Festival have been held every year, during which choirs and orchestras from Hungary and abroad evidence words of the great Maestro, Haydn who said:

„... my language is understood by the whole world."

Literature

Bechreibung des Hochfürstlichen Schlosses Esterhaz im Königreiche Ungern,Pressburg (Description of the Princely Castle of Eszterhaza in Royal Hungary, Pressburg), 1784. (1–6).

Mrs.Hokky, Marianne Sallay: The Esterházy Castle at Fertőd, 1979.

Márton Dallos: The Brief Description of the Castle of Eszterhaza and of the Related Places, 1781.

János Marót, Fertőd, 1979.

Simon Moller: The History of the Esterházy Picture-gallery, Budapest, 1915.

Károly Őrsi: The Fertőd Castle Park. 1982.Inventory of the year 1773. Sopron Review, 1974. No. 3.

Mátyás Horányi: Merry-makings at Eszterháza, Budapest, 1959. (7.)

Travel Notes of Óvár, Kismarton and Eszterháza. Scientific Collection, 1824, Vol. III. page 4O-56. (8.)

György Drinoczy: Browsing to the Knowledge of County Sopron, 96. Eszterháza, 1837.

Dr. János Hárich: Eszterháza I. Art History, 1944.

Gottfried v. Rotenstein: Reise durch einen Teil von Königreich Ungarn seit dem Jahre 1763. Eszterház. (Travel Through One Part of Royal Hungary, since the year 1763. Eszterháza)

Pál Voit: The Baroque in Hungary, Budapest, 1970. p. 76-78, 90

Képek

Bilder

Photos

1. A kastély főbejárata a kovácsoltvas díszkapuval
Das schmiedeeiserne Prunktor am Haupteingang
The castle's main entrance with the wrought-iron gate

Lámpatartó puttó
Lampenhalter Putto
Lamp holding putto

Homlokzatrészlet
Fassadendetail
Part of the facade

kastély belső díszudvara (a szabadtéri hangversenyek színhelye)
inrer Hof des Schlosses (im Sommer werden hier Konzerte veranstaltet
he inner courtyard of the castle (venue of open air concerts)

A szökőkút szoborcsoportja
Springbrunnen mit Statuengruppe
The sculptural group of the fountain

Szökőkút az oldalszárny udvari falában
(mitológiai alak puttó segítségével víziszörnyet öl meg)
Springbrunnen in der Hofmauer des Seitenflügels (Mythologische
Figur tötet mit Hilfe eines Puttos ein Wasserungeheuer)
Fountain in the courtyard wall of the building's side wing

Szökőkút az oldalszárny nyugati falában
(mitológiai alak a kis puttót megmenti a víziszörnytől)
Springbrunnen an der westlichen Mauer des Seitenflügels
(Mythologische Figur rettet den kleinen Putto vor dem
Wasserungeheuer)
Fountain in the western wall of the side wing of the building
(A mythological figure saves the small putto
from the water monster

A kastély belső díszudvari homlokzata
Schloßfassade im Innenhof
Facade of the castle's inner festive court

A zeneterem
Musiksaal
The Music-room

A Díszterem
Prunksaal
The Gala-hall

Hangverseny a díszteremben
Konzert im Prunksaal
Concert in the Gala-hall

Az Ősz szobra
Denkmal des Herbst
The statue of Autumn

A Nyár szobra
Denkmal des Sommers
The statue of Summer

A Tél szobra
Denkmal des Winters
The statue of Winter

A Tavasz szobra
Denkmal des Frühlings
The statue of Spring

Teremsor az emeleten,
a tükrök alatt faragott konzolasztalok
Saalflucht im Stockwerk, unter den Spiegeln,
geschnitzte Konsolentische
A row of halls on the upper floor
with carved console tables under the mirrors

Rokokó szalon
XVI. Lajos korát idéző garnitúrával
Rokoko-Salon
mit Garnitur im Luis-XVI.-Stil
A rococo parlour
with furniture from Luis XVI. period

Fajanszkályba részletek
a Zöld szalonban
Details des Fayance-Ofens
im Grünen Salon
Part of the faience stove
in the Green parlour

Szalonrészlet
Blick in den Salon
Part of the parlour

Rokokó ülőgarnitúra kézzel varrott gobelin huzattal (P. Forget, 1765.)
Rokoko-Sitzgarnitur mit handgenähtem Gobelinbezug (P. Forget, 1765.)
Rococo sitting set with hand-made gobelin cover (P. Forget, 1765.)

Sala Terrena áttört oszlopokkal, eredeti márvány padozattal
Die Sala Terrena mit durchbrochenen Säulen und originalem Marmorfußboden
Sala Terrena, with traced columns, original marble flooring

Mennyezetfestmény a Sala Terrena-ban
(a virágfüzérből formált E betű az építtető, Esterházy nevét jelenti)
Deckengemälde in der Sala Terrena
(der aus den Blumenkränzen geformte Buchstabe E weist auf den Namen des Erbauers Esterházy hin)
Fresco painting in the Sala Terrena
(the letter „E", formed from a fower girland, stands for the name of the buider, Esterházy)

Sala Terrena
Die Sala Terrena
Sala Terrena

Rokokó lambériával díszített szalon (egykori hercegi hálószoba)
Salon mit Rokoko-Wanderver kleidung (ehemaliges Schlafzimmer der Fürsten)
Parlour decorated with wainscot in rococo-style (formerly the Prince's bedroom)

ist paszományhímzéssel díszitett székek (a kastély eredeti darabjai)
hle mit Silberverschnürung (original stücke des Schlosses)
irs decorated with silver braid (original dieces of the palace)

Dohányszínű szalon a földszinten
Tabak farbiger Salon auf dem Erdgeschoss
Tobacco-coloured salon on the 1th floor

Bronz óra, égetett aranyozással (18. század)
Eine Bronzuhr mit Feuervergoldung (18.Jh.)
A bronze clock with burnt gilding (18th. century)

Kínai (chinoiserie) falfestéssel díszített szalon
Salon Geschmückt mit chinesischer Wandmalerei
Salon decorated with chinese wall-painting

Kínai lakktáblákkal díszített szalon (eredeti lakktáblák a XVIII. századból)
Salon mit chinesischen Lacktafeln (originale Tafeln aus dem 18. Jh.)
Parlour decorated with Chinese lacquer boards (original laquer boards from the 18th century)

A lovarda bejárata
Eingang zur Reitschule
Entrance of the riding-school

65

Hársfasor a lovarda felől
Lindenallee von der Reitschule ausgesehen
A linden tree alley viewed from the riding-school

Haydn-emléktábla a Muzsikaház falán
Haydn-Gedenktafel am Musikhaus
Haydn memorial plaque on the wall of the Music-house

A Muzsikaház udvara
Hof des Musikhauses
Courtyard of the Music-house

Az Esterházy-címer az egykori Jószágkormányzóság épületén
Das Esterházy-Wappen am Gebäude der ehemaligen Gutsverwaltung
The Esterházy coat of arms, on the Road-house inn

A Gránátosház árkádsora
Arkaden am Grenadierhaus
The arcade of the Grenadier's House

A szökőkút szoborcsoportja
Springbrunnen mit Statuengruppe
The sculptural group of the fountain

A kastély a park felől, nyírott tiszafákkal
Schloß vom ausgesehen mit Eiben
The castle, with the yew trees, viewed from the park

Szoborcsoport a belső udvari timpanon

Eine Gruppe von Stauen bei Tympanon in dem Inner

A group of statues at the tympanuen in the inner